BLODEUGERDD
BARDDAS
O GERDDI NADOLIG

GOLYGYDD:
ELWYN EDWARDS

LLUNIAU GAN:
SHERYL HARRIS

———

Angel a Thinsel

BLODEUGERDD BARDDAS O GERDDI NADOLIG

Cyhoeddiadau Barddas 1996

Argraffiad cyntaf: 1996

ISBN 1 900437 10 4

Cyhoeddwyd gan Gyhoeddiadau Barddas
Argraffwyd gan Wasg Dinefwr, Llandybïe

CYNNWYS

RHAGAIR

Ymddangosodd y cerddi a gynhwysir yn y flodeugerdd hon un ai yn y cylch-grawn *Barddas* neu yn rhai o gasgliadau unigol Cyhoeddiadau Barddas. Dymunaf ddiolch i'r awduron, ac i berthnasau'r awduron mewn rhai achosion, am ganiatâd parod i ailgyhoeddi'r cerddi yn y flodeugerdd. Gan fod Cymdeithas Barddas yn ugain oed ym mlwyddyn cyhoeddi'r flodeugerdd, bwriedir i'r gyfrol fod yn ddathliad.

Diolch hefyd i Sheryl Harris am dynnu lluniau yn arbennig ar gyfer y flodeu-gerdd, ac i Wasg Dinefwr am eu gwaith cymen a chydwybodol arferol.

Elwyn Edwards

Geni Crist

GWYRTH Y GENI

Derwyn Jones

Ar daith yng nghwmni'r Doethion – nid yr un
 Ydyw'r wyrth yr awron:
 Hon yw'r wyrth – Unmab Duw'r Iôn
 Ag aelwyd yn dy galon.

BORE'R GENI

Dafydd Owen

Noddfa fy nghywilyddfyd: – y Mab Bach
 A'm pechod yn cwrddyd,
 A Duw'n mynnu dod o hyd,
 O'i fawredd, i'm hadferyd.

Adferyd o'i oferedd – y gwaelaf,
 Gwylio dros ddinodedd,
 A'i dywys yn y diwedd
 I wlad ei dragwyddol hedd.

MAIR

Alan Llwyd

Ynot y Gair a blannwyd – yn hedyn,
    Ac yn gnawd y'i gwnaethpwyd;
    Mewn mymryn hedyn di-nwyd
    Y Gair ynot a gronnwyd.

Rhoist einioes y Crist inni; – ail einioes
    A luniodd Crist iti:
    Duw ynot yn dy eni,
    A ganed Duw o'th gnawd di.

Dilychwin dy odineb, – y trachwant
    Aruchel yn burdeb,
    Yn faldod o ddwyfoldeb:
    Dwyn had heb gyffyrddiad neb.

Cenhedlu, heb gyplu, 'r Gair, – ac asio
    Heb gyswllt na llesmair:
    Un bach, heb gyfathrach, Fair,
    A aned yn y crinwair.

Hwn yw'r Gair a agorwn, – hwn yw'r Gair,
    O Fair, a lefarwn:
    Y cyd-ddyheu sanctaidd hwn
    A'i lluniodd. Fe'i darllenwn.

MAIR

James Nicholas

A hon a roes ei hunan – iddo Ef,
    Rhoi i Dduw y cyfan,
    Dwyn y Mab yn y baban,
    Mawr yw hi – mam ar wahân.

LLETYWR BETHLEHEM
('Am nad oedd iddynt le yn y llety' – Luc II. 7)

Dafydd Wyn Jones

Cwyd! – a'i roi Ef mewn cadach, yn y gwair
    lle gorwedd y bustach:
    yn ein gwledd a'i chyfeddach
    nid oes rhan i'ch baban bach.

Y BABAN

Rhydwen Williams

Mae credoau a fformiwlâu'r Ffydd
yn anelu'n ddewr fel rhai mewn niwloedd o hyd
tua'r golau a'r dirgelwch,
ond daw'r bonedd a'r tlodion fel yr artistiaid a'r beirdd
i wylio'r Baban hwn; ac yna, i oleuo'r byd
â llewych ei grud llwm
mewn llun a cherflun a chân.
Mae gan deulu dyn mwyach goflaid o'r ymgnawdoliad hardd;
oherwydd, yng nghanol cymhlethdod ac annibendod byw
    y mae baban mwyn.

Os oes i'r bydysawd awdur,
rhy gudd yw ei annedd ddihalog i'r gwyddonydd ei hela;
os oes i'r einioes a'i siwrne,
yn y tryblith, amgen na rhith yn eiriol ar ein rhan,
mae'n anfeidrol fwy na'n hymennydd.

Felly pan ddown dan sêr y Ne' i Fethlehem,
hyn a bair syndod – mae'r doethion yno'n barod!
Mae athroniaethau a gwyddoniaethau'r byd gwâr
mor ddof â'r ychain ym mhresenoldeb y Mawredd hwn;

mae symlrwydd yr Aer yn chwilfriwio hen gaer ein geiriau,
a gwyleidd-dra'r Baban yn drech nag ymffrost prifysgolion.
Ni bu'n ddieithr na dysg na doethineb yn ei ŵydd Ef.

Ein daear a'u gwelodd – rhyfeddod y greadigaeth a'i dirgelwch
yn wyneb baban bach!
Un drws sydd erioed i hen dras y ddaear hon;
dysgedig ac annysgedig eu sgwrs,
tlodion a chyfoethogion fyrdd,
enwog ac anenwog eu hynt –
nid heb gymorth, trwy'r unrhyw borth y deuwn i'r byd!
Yr un adwy anwadadwy â Duw!
Ein llawenydd sydd mewn llieiniau –
y dirgelwch a ddaeth i drigo
yng nghorffilyn plentyn i'n plith.

A dywedodd Duw: ni fedrwn ddod yn nes.

Y NADOLIG CYNTAF
(Teyrnged y Doethion)

W. R. P. George

Ei eiddilwch addolwn, – yr Iesu
    Mewn preseb a welwn;
Ein haur o'n bodd a roddwn
A'n mawrhad – Mab Mair yw Hwn.

Y GENI

T. Arfon Williams

Gryfed yw'r ymddigrifo diddiwedd
    hyd y ddaear isod
    a'r nef yn awr yn nyfod
    y Gwirion Bach gorau'n bod.

Y FORWYN

Rhydwen Williams

Rhedodd ei dwylo
dros ei chorff
mor ysgafn â'r awelon
ar ei hwyneb;
crynodd y noethni crwn;
siâp y Duw
a ffurf ei phlentyn
yn amlinell ei heddiliwch
hardd.

Naid.
Gwrandawodd.
Bywyd yn symud yn y siâp!
Syndod y sêr a'r
llygaid – ychain
a defaid ac ŵyn!
Ust drwy'r ystabl,
dwyster rhwng distiau.

Gwelodd ei ben bach
yn dod i'r golwg.
Torrwyd y cortyn.
Clywodd gri gynta'r Duwdod
fel dyn
dan y sêr.

GWERTHFAWR DRYSOR

(*'Oblegid rhyngodd bodd i'r Tad drigo o bob cyflawnder
ynddo ef.' Colosiaid I.19*)

Derwyn Jones

Di-lety, ni bu'i dlotach, – yn olud
A chynhaliaeth mwyach;
Gwanwyn rhyw fyd amgenach
A'r cyfan mewn baban bach.

YN SUGNO BRON MARIA

Emyr Lewis

Y Crëwr bach sy'n crio
(onid o raid?) ambell dro,
achwyn ei gwyn, 'stumio'i geg,
gan chwennych sugno 'chwaneg.
Ei dad sy'n ei godi o,
y saer am ei gysuro,
sy'n gwenu, yn canu cân,
heb lwyddiant, a nawr bloeddia'n
Gwaredwr blin (os dinam)
am burdeb cymundeb â mam,
ac mae'r saer yn lapio siôl
yn gynnes neis am ganol
ein Hiachawdwr, a chodi
Brenin Nef at ei bron hi
am faeth y blaenllaeth, a blas
pur a thyner perthynas
â'r un fu'n ei garu Fo
cyn ei fod. Cwyn ei fwydo
dry'n rwndi swci, yn su
tyner gwefusau'n tynnu
yn farus bob diferyn
heb oedi dim. Mab y Dyn
â'i law fach sy'n dal ei fyd,
ei afael sy'n cau hefyd
yn dynn dynn am gudynnau
ei gwallt, a'i fysedd yn gwau
drwyddo, cyn llacio o'r llaw
yn dyst i'w gysgu distaw.

Ac osgo mud ei gysgu
sy'n hedd in drwy'r noson ddu:
Hogyn Bach yn sugno bawd
hyd oesoedd y bydysawd.

DUW YNG NGHRIST

Alan Llwyd

Nid hawdd oedd d'amgyffred Di, – na dirnad
  Y Deyrnas a feddi,
 Ond rhoed natur dyn iti,
 A daeth dirnadaeth i ni.

JOSEFF A MAIR

Havard Gregory

Ynof y deil y gofyn – am y ddau,
   Ac am Dduw'n eu plentyn;
   Anterth aberth eu perthyn –
Ei eni'n Dduw, yntau'n ddyn.

Y MAB

Ithel Rowlands

Yn gorwedd yn rhyfeddod – yn y gwellt
   Mae Gair y Cyfamod:
   Y Mab yng ngwacter fy mod
Yn Dduw'n y galon ddinod.

GENI'R MAB

Alan Llwyd

Bu rhoi wyneb i'r haniaeth, – a rhoi gwedd
   I'r tragwyddol helaeth,
   Rhoi ffurf y corff i Arfaeth
Duw ei hun: Duw'n ddyn a ddaeth.

BEUDY

Tîm Talwrn Sêr y Cyfryngau

Aeth yn angof dy hofel – oer a brwnt
   A'r brych yn dy gornel;
   I'n hoes ni mae'n neis na wêl
Plant dy basiant y bishwel.

HEROD A IESU

Gwilym Roberts

Ellyll 'fyn gipio allwedd – Ei deyrnas
   A darnio'i dangnefedd,
   Ond heb grud mewn hyfryd hedd
   Mab Mair ar wair a orwedd.

Y GENI

Siôn Aled

Liw nos y sleifiaist drwy ddrws cefn y byd
yn westai diwahoddiad
o groth y wyryf
a lusgasai ei beichiogrwydd tua thref
ar orchymyn Cesar.

Ffoadur fuost,
crwydryn â'i fagad o ddilynwyr hanner-pan
ar drugaredd y dorf sigledig,
ac ildiaist heb amddiffyniad
i ddedfryd eitha'r gyfraith
yn aberth amserol er mwyn cadw'r drefn.

Rhy lawn oedd fy nghalon innau
pan glywais di gyntaf
liw dyfnder nos
yn aflonyddu rywle yn y cefn,
a'm cwmni innau
yn unfryd eu barn
â democratiaeth Peilat.

Ond â'th ddyfal guro tyner
drylliaist o'r diwedd y ffenestri'n chwilfriw mân,
a rhwygodd y gwynt y llenni trymion
ar foment gwawr,
fel anadliad cyntaf baban
yn nychryn genedigaeth.

INRI

T. Glynne Davies

Dododd Ioseff ei Fab yn y mansiar;
Nid oedd seren y dwyrain
Yn gynhesrwydd i'r Baban yn y mansiar.

Cysgodd y Crist drwy ganeuon angylion,
Gwingai drwy freuddwydion
Am aur, thys a myrr a bugeiliaid.

Rhynnai Mair yn ei chadachau,
'Roedd ei gwefl yn las yn y cysgodion;
Llygaid a barf oedd Ioseff y nosweithiau,
'Roedd cenllysg a gwynt y to yn angylion
Drwy nosau hir y dyheu am Nasareth.

Nid oedd hi'n gweled
Drwy ffwndwr y blynyddoedd:
Ni welai ddim ond mab i'w anwylo.

Nid oedd hi'n gweled
Y Groes ger Caersalem,
A'r disgyblion, apostolion y canrifoedd
Yn rhwygo dillad a llefain:
"Mab Duw yw Hwn! Mab Duw y Goruchaf!"

Nid oedd hi'n gweled.

MAIR

T. Glynne Davies

'Doedd dim angen rhyw ryfedd adenydd
    Fel y rhai yn y llun arni hi
Na cheriwb na seraff na seren
    Nac utgorn na pherlau di-ri;
'Doedd dim rhaid cael bugeiliaid a doethion
    Na mansiar nac aur thys a myrr,
Dim angen y mul yn y stabal
    A gwair tragwyddoldeb mor fyr.

'Doedd dim rhaid cael canrifoedd o bobol
    Nac offeiriaid na blaenor na sant
I'w moli a chanu ei chlodydd
    Yn wyryf yn seiat y plant.

'Doedd dim rhaid iddi hyd 'noed gael Joseff
    I greu Rhosyn Saron y byd:
'Roedd Duw wedi llifo ar hyd-ddi
    A'r baban yn crio'n y crud.

MAIR

Eirwyn George

Chwilio'r oerfel am wely – i'w bychan
    A'i baich yn ei llethu:
Troi o'r byd tua'r beudy
    A bore oes yn ei bru.

YMSON MAIR

Tudur Dylan Jones

Fy Nuw, er bod ynof nwyf – y mamau,
    Y mae imi bruddglwyf:
Yn y gwaed euog ydwyf,
Ond dihalog euog wyf.

MAIR

('Yn ymyl croes Iesu yr oedd ei fam Ef yn sefyll' – Ioan XIX. 25)

Dafydd Wyn Jones

Wraig annwyl, os awr geni Hwn i'r byd
fu'n awr o boen iti,
mwy, ganwaith, fu d'artaith di
drwy angerdd oriau'i drengi.

YM METHLEHEM EFFRATA

Rhydwen Williams

Ym Methlehem Effrata,
   Un argyfyngus awr,
Y Rahel dawel honno
   A roes ei phen i lawr,
I eni yno yr un bach
A marw yno dros 'run bach.

Ym Methlehem Effrata,
   A'r nos fel miwsig crwth,
Rhyw Rwth a gadd Naomi,
   Naomi a gadd Rwth;
A Boas yn bendigo'r maes
A'i drem ar ferch yn rhodio'r maes.

Ym Methlehem Effrata,
   Y lleiaf oedd y fan
Ymysg holl filoedd Jwda,
   Ond rhyfedd oedd ei rhan!
Yr heniaith ei brenhiniaeth hi,
A'i Phencerdd oedd ei brenin hi.

Ym Methlehem Effrata!
   Nid Mynydd Seion serth,
Ac nid Jerwsalem y saint
   A'i chysegr uwchlaw gwerth!
Mewn dinod ac anhyglod dref
Y ganwyd unwaith Frenin Nef.

JOSEFF

D. Gwyn Evans

Rhaid i wyrth Cred ei wrthod – i achub
   Dilychwin wyryfdod;
Pam y fam heb iddo fod
Yn dad i Fab y Duwdod?

'WELE DOETHION A DDAETHANT ...'

Derwyn Jones

Doethion, dri, a deithiai'n drwm – eu hiraeth
    At seren ddibatrwm
    Fry'n sefyll uwch llety llwm
    Ceidwad hen deulu'r Codwm.

GŴYL Y GENI

D. Gwyn Evans

Ni luniwyd eto eleni – i bawb
    Decach byd O'i eni;
    Bwyd dros ben i'n hangen ni,
    Gweiniaid heb eu digoni.

Ei eni dry'n deganau, – mae Iesu
    Ym maswedd y siopau;
    Dymor Ei ŵyl, rhaid mawrhau
    Y preseb rhwng y prisiau.

Gwneud elw o'r Ymgnawdoliad – i rai
    Yw crud Ei ddyfodiad;
    Mae'r hen Siôn a'i roddion rhad
    Ar y cyd gyda'r Ceidwad.

O weld gras tlodi Ei grud – a'i eni
    Yn Brynwr i'r hollfyd,
    Cofiwn roi anrheg hefyd
    I ysgafnhau beichiau'n byd.

Onid Ef yw'n tangnefedd – i'n harwain
    O berygl y diwedd?
    Yn enw Hwn boed inni hedd
    O'n hofer arfau rhyfedd.

O'r Gair a seiniau'r garol, – y Geni
    A'i ogoniant grasol,
    O'i fawrhau awn ninnau'n ôl
    I fedi gwell dyfodol.

YM METHLEHEM JWDEA

Derwyn Jones

Nid oes un man dewisach – na daear
    Gwlad Jwdea bellach;
    I boen byd daeth baban bach,
    Y Gair mewn gwisg ragorach.

NADOLIG

Gwilym Roberts

Baban Duw heddiw gyrhaeddodd – ein byd;
Os beudy a'i noddodd,
Bu'r engyl a'i hebryngodd
I drothwy byd wrth eu bodd.

YR YMWELYDD

Rhydwen Williams

'Roedd cyffro yn y ddinas –
enwog ac anenwog,
hynod a dinod,
goludog a thlawd
yn ymdrwsio ar gyfer yr awr fawr!
Brysio i bresenoldeb yr Hollbresennol.

Yr allorau a godwyd gan oreugwyr
y genedl honno – Senacharib, Solomon, Macabëws!

Yr heddwch a gaed gan Dduw
Israel wrth gynnig aberth a phoeth-offrwm,
defodau od y bara-gosod a'r gwaed,
rhwysg a ffwdanau'r offeiriad
o hedd ei lys i'r lle santeiddiolaf,
dydd ymweled â'r Anweledig yn ei Dŷ.

Ninnau, ganrifoedd ar eu hôl,
yn paredio o'i flaen a begio-pardwn
yn ein seddau syth ar y Sul –
o leiaf, pan gofiwn neu pan deimlwn fel hynny!
Rhodio tua'r deml,
nid â'r un rhwysg ag addolwyr doe,
er mai'r un yw'r diben, diau,
ond yn fwy fel ymwelwyr-haf
mewn gwesty neu amgueddfa,
neu gymdogion yn picio-mewn am eiliad –
"Dim ond galw wrth fynd heibio!" –
i weld yr hen greadur
o barch i'w hanes a'i henaint
a rhag ei ddigio, wrth gwrs.

Y pryd hwnnw gynt,
pan grynai a phan sibrydai'r sêr,
gorweddai Iddewes fach feichiog ar y gwair
ar ffoi o'i byd bach dinod
er mwyn ymgeleddu ei baban;
y Fendigaid honno a'i chyntaf-anedig,
yr Imanwêl, Duw gyda ni.

Heibio'r offeiriaid a'u brôl,
y cardinaliaid a'u credoau,
yr esgobion a'u rhwysg,

a'r organau a'r allorau a'r canhwyllau;
ie, heibio cynefindra a chulni ein crefydd fach bigog
a'n moli di-chwaeth wrth ymweld â Duw,
fe ddaw'r Fam fach honno heibio o hyd
i gyflwyno'r Duw a ymwelodd â ni.

WRTH Y PRESEB

R. Bryn Williams

Seren dyner, seren siriol
    Oedd uwchben y preseb clyd;
Baban annwyl, baban dwyfol,
    Daeth o'r nefoedd wen i'r byd.

        Deuwn ninnau
        Ar ein gliniau
        I garoli –
        Daeth goleuni
Seren Duw i'n harwain ni,
Seren Duw i'n harwain ni.

Noson dawel, gyda'r awel
    Daeth bugeiliaid yno'n llon
At y baban, annwyl faban,
    A rhyfeddu ger ei fron.

        Deuwn ninnau
        Ar ein gliniau
        I garoli
        Am ei eni –
Bugail da i'r ddaear hon,
Bugail da i'r ddaear hon.

Daeth y doethion, ag anrhegion
    Gyda'r wawr i'r baban gwyn,
Yntau'n gwenu i'w croesawu,
    Hwythau'n edrych arno'n syn.

        Deuwn ninnau
        Ar ein gliniau
        I garoli,
        Ac i roddi
Calon bur i'r baban gwyn,
Calon bur i'r baban gwyn.

CRIST

Ieuan Wyn

Ein byd ni roes ond beudy – i eni'r
　Mab unig, ac felly
O'n byd aeth, heb neb o'i du,
Eto'n dlotyn dilety.

NADOLIG

John Gwilym Jones

Tyrd i weled a chredu, – yn y gwellt
Gwêl y Gair yn cysgu,
Ac yna cyhoedda'n hy
Wrth y byd wyrth y beudy.

Y WYRTH

James Nicholas

Rhoed y gair i'r deg Wyry' – a'r golau
Dirgelaidd o'i deutu;
Mab a roed yn drwm o'i bru:
Rhyfeddod Bod mewn beudy.

BABAN

T. Arfon Williams

Os deil y ffôl i'w dolach, yn yr oes
wâr hon llawer rheitiach
gwlychu pen y Bachgen bach
a'i foddi mewn cyfeddach.

CAMP

Tîm Talwrn Dyffryn Ogwen

Gwawl y Creu fu'n gwylio crud – ein daear,
A Duw yn ymsymud;
Yn ei gôl mae'r doniau i gyd,
A thwf athrylith hefyd.

MAIR A JOSEFF

Alan Llwyd

Mair a roes einioes i'r Un – a bennodd
Bob einioes, a'r plentyn
Crist yn Dad i'w dad wedyn,
A Mab i'w fab ef ei hun.

Y GENI

Norman Closs Parry

Hon oedd miragl y miraglau: – baban
Mair wiwlan dan olau
Seren wen, a'r llawenhau
Anochel uwch cadachau.

GWYRTH Y GENI

Alan Llwyd

Gwyry'n fam, y Gair yn fud; – yr oesoedd
Ym mhreseb yr ennyd;
Daearol yw'r nef hefyd,
A'r lleiaf oll yw'r holl fyd.

LLETY'R CRIST

Alan Llwyd

Y mab Iesu ym maw a biswail – yr ych,
Y Crist mewn hen adfail;
Llyw'r nef yn lle'r anifail,
A Duw yn y domen dail.

YMSON MAIR

T. Arfon Williams

Os dof i ddinas Dafydd – anghofiaf
Fy ngofid a'm cystudd
Yn y fan, a 'nghwpan fydd
Yn llawn, yn llawn llawenydd.

GENI CRIST

Alan Llwyd

Gollyngodd Ef lef ei loes, – a'i wyneb
    Yn hen cyn ei einioes:
    Wyneb crych, fel pe bai croes
    Yn bwysau a chosb eisoes.

Y GENI DWYFOL

Ann Hughes

Dyna dwrf, ein Duw yn dad, – a'i fwynder
    Dros fwndel o gariad:
    Un a gaed i ni'n Geidwad
    I Dduw ei hun yn foddhad.

CLYCHAU NADOLIG

Dafydd Owen

A wrendy, a glyw gryndod – poen geni
    pan gano'r clych uchod;
    ond cnul pob braw yw cawod
    eu nodau hwy, a Duw'n dod.

NADOLIG

Mihangel Morgan

Iesu bach, Iesu bach,
    Mor bert wyt ti yn dy gadach,
    Mor ddiniwed ac mor welw.
    Daw erchyllterau yn sgîl d'enw.

NOSON Y GENI

Alan Llwyd

Dan ddifrawder y sêr, anghysurus oedd y siwrnai bell
a'r asyn ymarhous yn ddiofal a gwamal ei gamau;
y Mab, fel maen yn ymdreiglo, yn ymwingo o'm mewn,
a'r sêr yn hoelio'r gwacter ynghlwm wrth y gwyll,
a Joseff, fy ngŵr, yn fy ymyl, a'i lygaid yn f'amau:
hyd yn oed wedi hynny yr oedd pob llety yn llawn.

Ac wedyn y geni dirdynnol a'r holl gnawd ar dân:
y groth wedi agor i wthio'r holl greadigaeth
o'i bychander, a chyndyn oedd hollt fy nghnawd i'w ryddhau,
a daeargryn yr esgor yn rhwygo'r groth ar wahân;
a'r bustach ar bwys, yn dagell uwch yr enedigaeth.
Mewn rhyw dwll o le yn Jwdea y ganed Mab Duw.

Arnaf fi yn diodi Duwdod y Mab yn fy nghôl
y rhythai'r gwehilion bugeiliaid fel hen wragedd straellyd.
Bugeiliaid mamogiaid yn fy ngwylio'n ymgeleddu fy Mugail,
ac ni allwn guddio fy nghywilydd o eni yng ngwâl
yr anifail Fab y Tangnefedd, y Dilychwin yn ei loches ddrewllyd,
yr Alffa a'r Omega a glymwyd wrth linyn fy mogail.

Nid yn hawdd yr anghofiaf y noson hunllefus a greodd
o seirff seraffiaid, ac o fryntni bleiddiaid ŵyn blith.
Mewn biswail ac ebran y gwireddwyd proffwydoliaeth Gabriel,
a'r bugeiliaid distadl yn dystion i'r fraint a'm difrïodd:
Duw a aned ohonof, ond rhyngof a'r nef yr oedd rhith
y Seren fel croesbren crwm, a chysgod tri gŵr ar y gorwel.

MAIR

Arfon Huws

Yn reddfol o wewyr griddfan – galwodd
   Mair drwy'r golau egwan;
   Iddi hi daeth hedd o wan
Ebychiad yr un bychan.

Y Nadolig

PAN DDAW'R NADOLIG …

Rhydwen Williams

Ni bydd y dyn bara yn galw mwyach; bu rhywrai wrthi'n tynnu'r lluniau oddi ar y wal; daeth y fen i gymryd ymaith y cwpwrdd cornel a'r gadair-freichiau a'r setl; ac y mae dieithriaid wedi galw i gael golwg ar y tŷ …

Mae'r bws 9 yn rhedeg bob hanner awr fel arfer; daw'r dyn llefrith a'r postmon a'r hogyn papur newydd o gwmpas ben bore'r un fath; ac nid oes arwydd bod y ffurfafen wedi diffodd na'r byd wedi mynd â'i ben iddo … dim ond bod yr adar yn methu â deall pam nad yw'r pren 'falau yn tyfu briwsion mwyach.

Gweddw yw'r ardd a galarus yw'r blodau penisel; dwys iawn yw'r pridd fel pe'n trysori ôl traed i'w cadw; mae hiraeth yn y pren rhosus a'r coed mwyar duon a'r elmen; ac y mae'r lawnt mor wag â'r gegin a'r llofft a'r parlwr – a'r gongl wrth y ffenast lle y bu Cystudd yn gwreichioni fel gof uwch yr eingion.

Bywyd yw'r llythrennau bras yn y papur newydd bob bore a'r lluniau yn y newyddion bob nos, dybiwn ni; hwn-a-hwn yn cael anrhydedd, gwlad ar ei chythlwng, gwleidydd yn brolio; nes sylweddoli ohonom nad oes neb yrŵan yn hongian dillad ar y lein … berwi'r tecell … dim mwg yn dod o'r simnai … a'r drws wedi cloi … A deallwn am y tro cynta' erioed fel y gall un farwolaeth dawel weddnewid teulu, gwacáu tref, gwanychu cenedl, a dymchwel y byd i gyd mor chwyldroadol â chwymp aderyn y to.

"Rhyfadd fel y cawn nerth," medda' rhywun fore'r angladd wrth ddisgwyl y pregethwyr; a dwedodd y gwir … Sychodd ein gruddiau ac nid oedd gan ein llygaid ddeigryn arall i'w dreiglo; llwyddasom i sgrifennu ar yr amdorch, gweld cau'r arch, ysgwyd-llaw â'r galarwyr, a sefyll yn sŵn y weddi ar yr aelwyd heb wallgofi; ond wedyn – ar ôl hynny – y dangosodd y golled ei hanferthedd, ar draws yr wybren … a'r wal … a'r meddwl … fel mellten heb d'rana'… absenoldeb … wyneb … llygaid … gwefusau … llaw … y cafodd y tân eu hanwylo am y tro diwethaf.

"Nadolig diflas fydd hi 'leni … ", medda' rhywun arall wrth y bwrdd wedi'r c'nebrwng; a phawb yn cyd-weld … (Ma' dipyn o wyneb gan yr Angau i ddangos ei ddannedd ym mis Tachwedd pan yw Bywyd ar fin cadw gŵyl!) … A ffarweliasom ar ôl chwalu'r nyth gan arswydo gweld y celyn a'r canhwyllau a chlywed carol ar ein clyw …

Ond heno, daeth clwstwr o blant-y-stryd heibio – tyngwn
fod yr angylion wrth y drws … A theimlasom ein galar
yn newid (fel y bydd dawnswyr yn creu patrymau o gerddoriaeth a
pherlesmair ar yr iâ) … "O enau plant bychain …"
– llewyrchodd gogoniant am geiniog; nid oedd y wefr
a oleuai'r Seren unwaith ryfeddach na'r cryndod a'n
cysurai ninnau'n awr: a chanodd yr Iechydwriaeth a'r
Ymgnawdoliad a holl brydferthwch y Ffydd nes llenwi'r nos
â nodau'r cariad a dywysodd ein plentyndod ninnau ystalwm
at gariad anorchfygol Duw, a'i selio â chusan mam.

NADOLIG YR UNIG

Derwyn Jones

Hen oesol ŵyl cynhesu – yr aelwyd,
   A'r hwyl yn cynyddu;
   Ond oered yw oriau du
Nadolig un heb deulu.

Y NADOLIG

Einion Evans

O ŵyl liwus deuluaidd, – ein trais hagr
   A'i troes hi'n Baganaidd.
   Â'n tanseilio tinselaidd
marwol yw'r ysbrydol wraidd.

Cymod â'r gwirod gerwin – yw bri oes
   brysur ei phenelin.
   I addolwyr heb ddeulin
ym marau'r oes y mae'r rhin.

Eto i ŵyl y poteli – y deuwn,
   ein Duw, yn llawn gwegi;
   a ni'n siario ein sieri
meddwon ŷm – maddau i ni.

Â chwisgi ac â chasgen – daw helynt
   ein Nadolig ffuglen.
   Budreddi parti, cur pen,
a ry liw i'r ŵyl lawen.

Heddiw, ti fu'n crefydda – yn hwyliog
   fel ataliwr llwyra'
   atom tyrd i ddiota,
a chod dy wydr. Iechyd Da!

YSBRYD YR ŴYL

Arfon Huws

Fe ddaw o'r Nef i'n cynefin – a daw
   i'n daear anhydrin
   awr o hedd a rhyfedd rin
Ei gariad i'n byd gerwin.

GŴYL NADOLIG CRIST

T. Arfon Williams

Mor anodd fu im roi anwes i'r Iôr,
ond ar fraich rhyw lodes
wan, ddilychwin, ddiloches,
y dwthwn hwn daeth yn nes.

NADOLIG

Tudur Dylan Jones

Nid oes faban sydd lanach nac un Duw,
gan nad oes prydferthach
yn y byd na'r Oenig bach,
na geni'r un mab gwynnach.

Y NADOLIG

Trebor E. Roberts

Ni cheir bloedd i'w chyhoeddi; – ar ei rhan
 Ni cheir rhwysg baneri;
 Dim ond gŵyl annwyl yw hi
 A'r Gân yn cofio'r Geni.

Gŵyl y Gân, Gŵyl y Geni, – Gŵyl y Nef,
 Gŵyl yn hau daioni;
 Gŵyl enwog y Goleuni,
 Gŵyl yr hedd, Gŵyl Iôr yw hi.

Y NADOLIG

Donald Evans

Awel garol ac eira – yn y gwyll,
 Clychau'n gân drwy'r gaea':
 Hen dinc y Newyddion Da
 O'n nos anwar – Hosanna!

YN EGLWYS GADEIRIOL TYDDEWI AR DROTHWY'R NADOLIG

Alan Llwyd

Cynulliad rhwng canhwyllau; – cerrig oer,
 Eco'r garol hithau
 Yn ymaros rhwng muriau,
 Yntau'r un sanct ar nesáu.

NADOLIG Y GWLFF

Derwyn Jones

Hyn o gais, yn dy gysur, – efo'r Ŵyl,
 Cofia'r rhai mewn dolur;
 Gwae a siom Nadolig sur
 Gwerin dan ryfelgarwyr.

SICRWYDD GŴYL

(Cerdd Gadwyn)

Dafydd Owen

Yn nechrau fy myd, ni fu imi un achos amau
    a'r dathlu yn camu i'r meddwl trwy ddorau fyrdd:
byddai f'ysbryd, fel yr ienctid di-hid wrth dŵr Moel Famau
    y nos cyn y Preseb, wedi rhedeg lle nad oedd ffyrdd.

Ein ffyrdd ni'n dwg i deyrnas Gras y gwir oesol,
    ond rhedwn i'r rhamant gynt, rhwng canllawiau'r lles:
rhedwn i fôr ei gyfaredd, heibio i'r maswedd a'r moesol,
    canys f'enaid a wyddai ers tro ei dyfod yn nes.

Yr Ŵyl nid yw mwy'n agosáu gyda'i horiau hyderus;
    lle tybiodd doethion y dirwedd ddyfod diwedd Duw,
genir Crist i'r un galon bob bore, a thrugarog erys
    er y baw sydd i'r buarth, a gwarth ein hymgyrchoedd gwyw.

Hyd byth ni wywa ei lendid, Fab y rhyddid a'r rhoddion.
    Euthum yn ŵr: lle bu swyn, fe ddaeth sicrwydd syn,
a'r Ŵyl na siomodd y plant na saint ei buddsoddion –
    deil mwy na'i chadwynau lliw fi'n ewyllysgar dynn.

Yn ewyllysgar dynn a dielyn yng nglendid awelog
    yr Ŵyl, fel yr ienctid hwyl yn awelon y Foel,
minnau a blygaf mewn diolch, yn gredadun gwelog,
    fy nos yn Seren, a gwybod yn awr lle bu'r goel.

Caf wybod elwch y dirgelwch yn llety'r galon!
    Byddaf gyda'r doethion a'r bugeiliaid gerbron ei grud,
yn hanner cylch yn yr hoewal, er y myrdd gofalon,
    yn y sicrwydd a'r golau a bery pan dderfydd y byd.

NEGES Y NADOLIG

T. Arfon Williams

Daw hon o'r Wern yn ernes o eiriau
    araul yr hen neges
    lon a ry'n y galon wres,
    y gân a'i ceidw'n gynnes.

NATALICIA

Pennar Davies

Gŵyl y Geni – Natalicia – dyma'r Nadolig,
Ac yn y gair mynegir y cariad mwyn
A fu'n croesawu baban bach i fywyd
Ein daear ni –

A hwnnw i gael ei gydnabod yn Geidwad Byd.
Y mae planedau eraill, a llaweroedd ohonynt
Y tu draw i bopeth sydd gennym i'w gweld.
Pwy a ŵyr eu hanes?

Daeth llef o enau'r baban bach, llef am gael byw.
Rhagorfraint ein planed ni oedd y llef honno.
Prin y gwyddai Mair a Ioseff y byddai'r crwt
Yn uno amser a thragwyddoldeb.

DRAMA'R NADOLIG

Gwyn Thomas

Defod, ar y Nadolig, yw fod
Plant y festri, y bychain,
Yn cyflwyno yn ein capel ni
Ddrama y geni.

Bydd rhai oedolion wedi bod wrthi
Yn pwytho'r Nadolig i hen grysau,
Hen gynfasau, hen lenni
I ddilladu y lleng actorion.

Pethau cyffredin, hefyd, fydd yr 'anrhegion':
Bydd hen dun bisgedi,
O'i oreuro, yn flwch 'myrr';
Bocs te go grand fydd yn dal y 'thus';
A daw lwmp o rywbeth wedi'i lapio,
Wedi'i liwio, yn 'aur'.
Bydd yno, yn wastad, seren letrig.

Bydd oedolion eraill wedi bod yn hyfforddi angylion,
Yn ceisio rhoi'r doethion ar ben ffordd,
Yn ymdrechu i bwnio i rai afradlon
Ymarweddiad bugeiliaid,
Ac yn ymlafnio i gadw Herod a'i filwyr
Rhag mynd dros ben llestri –
Oblegid rhyw natur felly sy ym mhlant y festri.
Bydd Mair a bydd Joseff rywfaint yn hŷn
Na'r lleill, ac o'r herwydd yn haws i'w hyweddu.
Doli, yn ddi-ffael, fydd y Baban Iesu.

O bryd i'w gilydd, yn yr ymarferion,
Bydd cega go hyll rhwng bugeiliaid a doethion,
A dadlau croch, weithiau, ymysg angylion,
A bydd waldio pennau'n demtasiwn wrthnysig
I Herod a'i griw efo'u cleddyfau plastig.
A phan dorrir dwyster rhoddi'r anrhegion
Wrth i un o'r doethion ollwng, yn glatj, y tun bisgedi
Bydd eisiau gras i gadw'r gweinidog rhag rhegi.

Ond yn y cariad fydd rhwng y muriau hynny
Ar noson y ddrama, bydd pawb yn deulu;
Bydd diniweidrwydd gwyn yr actorion
Yn troi'r pethau cyffredin, yn wyrthiol, yn eni,
A bydd yn ein nos, yn ein tywyllwch, y seren letrig
Yn cyfeirio'n ôl at y gwir Nadolig,
At y goleuni hwnnw na ellir mo'i gladdu.
Ac yng nghanol dirni ac enbydrwydd sy'n gaeth dan rym Herod
Fe ddywedir eto nad yw Duw ddim yn darfod.

PERFFORMIO

(Mewn Gwasanaeth Nadolig Olau Gannwyll)

Deulyn Wyn Williams

Yn y canol, yn yr act
wele Mair, yn digalon afael mewn babi-dol
a syllu i'w llygaid plastig.

Ond cnawd a aned o Fair:
nid cnawd ei gŵr
ond cnawd ei Duw,
a chydiai hi yn y gorfoledd …

A ninnau, ni sy'n gwylio
pa ran a gymerwn ni?
A ddeuwn â'n canhwyllau
ato drwy'r tywyllwch
er mwyn colli ein canhwyllau,
er mwyn ceisio cannwyll arall?

TRISTWCH Y NADOLIG

R. Bryn Williams

Daw Nadolig gwyn
    I fynyddoedd Cymru,
I'r eglwys ar y bryn
    Daw gwerin i ymgrymu;
Gwên ar ruddiau'r plant
    O flodau'r unigeddau,
A'u cân o fwrlwm nant
    Sy'n llamu ar lechweddau:
Ond trist yw'r awel o gwmpas y ddôr,
Mae cysgod Croes ar breseb yr Iôr.

Plant y cymoedd hir
    Megis torch o flodau,
Mor llon eu lleisiau clir,
    Mor felys eu carolau,
Yntau'r Baban gwyn
    Ar wely gwair yn cysgu
Heb weld y sêr ynghŷn,
    Heb weld y sêr yn crynu:
Oherwydd pan ddeffry ym mhlygain oes
Ei dynged fydd dechrau cario'r Groes.

Huna'r Baban hardd,
    Gwên a dardd o'i ruddiau,
Yr haul drwy'i wallt a chwardd,
    Dau lygad byw sy'n berlau;
Dotio ar ei wên
    Mae gwerin ar ei gliniau,
Yr ifanc fel yr hen
    Yn eilio eu carolau:
Ond wylo mae'r sêr a'r cread a gryn
O weld Ei Groes ar Galfaria Fryn.

NAWS Y NADOLIG

Donald Evans

Mae hen naws, naws y noson – honno gynt
    Yn y gwellt â'r Doethion
    Eto'n sisial drwy'r galon:
    Ei fywyd ef ydyw hon.

'AR GYFER HEDDIW'R BORE …'

Aled Lewis Evans

'Ar gyfer heddiw'r bore'n faban bach …'
Côr anaeddfed bechgyn safon pedwar
yn ddisgord wrth ddechrau ymarfer –
yn llusgo'r nodau
ac yn taro ambell un
na chlywyd ei debyg o'r blaen.

Dafydd yn trio'i orau glas,
Aled yn cuddio yn y cefn,
        unigolyn y parti;
Keith yn hunan-ymwybodol,
Dylan Aron yn canu nerth ei ben
    fel pe bai yno.

Richard yn gweld hiwmor yn yr ymdrech,
Arwel o ddifrif a Ben yn ystyrlon.
Paul y dysgwr yn ymdrechu.

Ac o rywle clywaf harmoni uwch
yn cynganeddu y tu hwnt i ffenestr stêm
yr ymarfer;
a sibrydir yn ddistaw
mai da ydyw,
a chymeradwy i glust y Baban.

BORE'R NADOLIG

Aled Huw

Enillion ein digonedd – ar wasgar
    I esgus tangnefedd,
    A grym mud ein gormodedd
    Yn wawr hyll ar Ŵyl yr hedd.

Y NADOLIG

Ithel Rowlands

Yn ufudd yn Dy ofal – o na bawn,
    Calon bur yn ddyfal
    Rhag cloi'r Mab yn y stabal,
    A Duw'r Gair rhwng pedair gwal.

Y NADOLIG

Tudur Dylan Jones

Yn y gwin dathlu'r geni, – dathlu'r wefr,
    Dathlu'r wyrth wrth besgi:
    Amharwyd ar y miri,
    A mi'n chwil, gan d'ymbil Di.

Y NADOLIG

Tudur Dylan Jones

Y mae'r Ŵyl, am ryw eiliad – o'n hanes,
    Yn tynnu'r amddifad
    Yn dyner at aduniad
    Yn y tŷ yng nghwmni'r Tad.

Y NADOLIG

H. Garrison Williams

Gŵyl Duw Fab, Gŵyl y Baban, – gŵyl o bwys,
    Gŵyl i bawb ymhobman;
    Gŵyl i'r gwych a gŵyl i'r gwan
    Er cof am Dduw'n rhoi'r cyfan.

Y NADOLIG

Moses Glyn Jones

Daw'r gân am Mair yng ngeiriau – hen yr iaith
    Ar yr ŵyl a'i nodau
    I lonni ein calonnau
    Er i'r hin ein marwhau.

Un gair am Mair ym miri – yr hen ŵyl,
    'R hon wnaeth ymgnawdoli
    Gwirionedd y Gair inni:
    Aer y nef ar ei bron hi.

NADOLIG NEWYDD

Norman Closs Parry

A ni mewn amser Herod – yn ein byd,
O, na baem yn barod
I Dduw eto'n faban ddod
Â'i bergan dan ein bargod.

Y NADOLIG

Ithel Rowlands

Unwn yng ngwefr y Geni, – yn yr hwyl
A'r rhoi, ond ein rhoddi
Ein hunain, o'n cadwyni,
I Aer y Nef fo'n rhoi ni.

Y NADOLIG

Eirwyn George

Ei gariad oedd beichiog wyry, – ei ras
Oedd preseb yr Iesu:
Y Fair oedd ein hyfory
A'i bŵer Ef yn ei bru.

Y NADOLIG

Gwilym Roberts

Daw baban bychan i'n byd – yn Fab Duw,
   Yn Fab y Dyn hefyd;
   Ef a ddaw o'i fodd o hyd
Ond gwarth gaiff fyd a'i gwrthyd.

NEGES Y NADOLIG

Havard Gregory

Yr un o hyd yw'r hanes; – dymuno'r
   Da mwynaf yw'r neges;
   Y gân a'n deil yn gynnes;
Duw o'i nef yn dod yn nes.

Y NADOLIG

John Talfryn Jones

Di-ail yw'r Ymgnawdoli, – dihafal
   Yw'r Dwyfol dosturi:
   Hyn yw diben y Geni
O du'r Nef i'n daear ni.

Â'r Seren yn ein denu – arhoswn
   Ger preseb yr Iesu:
   Yno cawn mewn bychan cu
Fawredd ein Duw'n goferu.

Nid oes Nawdd onid oes Nef, – nid yw'n byw,
   Nid yw'n bod ond hunllef;
   Nid oes ar ôl ond dolef
I'n byd heb ei breseb Ef.

Y NADOLIG HWN

Eirian Davies

Rhaid imi frysio.

Nid yn hamddenol
Ar gamel heglog
Dan arweiniad rhyw gannwyll ddimai o seren
Y mae dod at y Nadolig mwy.

Nid cyrchu'r wyf
At lwyfan doli blastig o faban
Eleni,
 –Doli a lapiwyd yn gysurus
Mewn gwlanen o bregeth,
Doli binc mewn bocs carbord wedi ei goluro
I gymeriadu manjer stabal
Mewn drama festri.

Rhaid imi frysio.

Mae dyn yn dod i'w oed;
Ac mae dod i oed
Gam yn nes at ddod i farw.

Rhaid brysio.

Fel Nicodemus gynt
'Rwy'n dod o'r gwyll
Heb ddeall,
Yn camu allan
O gaddug digynnwys.

Ond, fel pererin y nos,
'Rwy'n ysu am ganfod
Y Goleuni sy'n gynnes;
Ei weld yn Ei fychanfyd,
Gweld Duw newydd wthio'i ben baban
Allan o agen yn y cosmos
I wenu arnaf
Yn dwmplyn o gariad.

Mae rhamant Nadolig y ddrama blant
Ar lwyfannau bregus
Yn un hen ei hanes, mi wn;
'Does gennyf ddim amser i aros
I fod yno'n dathlu yn eich plith.

Rhaid imi frysio, a mynd
Er mwyn cyrraedd mewn pryd
I blygu gerbron Gwyrth y cariad
A chyffesu
'Fy Arglwydd a'm Duw.'

Canys Hwn yw y Cariad cyflawn.

Nid gair o frawddegau eglwys mohono,
Na gair cyffredin o barabl dynoliaeth,
Ond y Gair i unigolyn
A heriodd ddychrynfeydd y nos,
A brysurodd yn ei bryder
Heibio i fwganod yr afagddu,
Ac yn awr a fyn ganu,
A'i gân fel eos o wacter ogofeydd tywyll
Yn gân orfoleddus
'Dyma fi'n dod!'

Rhaid imi frysio
A'ch gadael i'ch tymor disylwedd o wledda.

A chwithau? Cewch dramwy
Dan ffluwch o drimins
A goludog oleuadau
Heb weld i ble 'rych chi'n mynd.

Cewch sathru ar werthoedd y nef
A'u chwalu fel teganau briw
Wrth chwarae yn blant dinistriol
Ar fin dibyn difodiant.

'Rwyf innau, eleni, am eich gadael
A brysio i weld drama Un Act y Cariad
Ar lwyfan Nadolig Duw.

NADOLIG

Tom Huws

Heibio'i breseb y brysiwn, – yn wirion
I eraill addolwn,
Daw gwae i'n byd dybryd hwn
Os eilwaith y croeshoeliwn.

SEREN Y SÊR

Derwyn Jones

Seren y sêr heno sydd – at lety
Tlawd Iesu'n dywysydd;
Ninnau, bawb, awn yno a bydd
Duw Iôn yng ngwisg ein deunydd.

BOB GELDORF

('Do they know it's Christmas time at all?')

Aled Lewis Evans

Fe ddaeth â'r Nadolig i'r plant.
Yn syml
ddi-flewyn-dafod
fe'i cynigiodd ei hun
a phigo cydwybod falch
gwleidyddion yr esgusion gwên.

Syrffedodd ar Ethiopia
meddai rhai;
efallai iddo syrffedu
ar ddifrawder rhai fel ni.
Y clown tafodrydd,
ynddo y mae'r Crist,
a gadawodd ei bres poced
ar ei ôl yn Ethiopia.

Blinodd, meddan nhw,
a'r cyfan a wnawn ni
yw sôn am yrfa roc
a wywodd,
heb weld ei Gariad.

Ond fe ddaeth â'r Nadolig i'r plant.

NADOLIG

Tom Huws

Ni, eiddilod, addolwn – yn wylaidd,
   A dihalog oedwn;
    Pa oes na wybu'r pasiwn
    Yn ras pur o breseb Hwn?

NOSWYL NADOLIG

Meirion MacIntyre Huws

Dileu'r sgrin. Gwagio'r *vino* – i waelod
   fy nghalon. Noswylio.
   Gwely oer, y drws ar glo,
   a neb yn galw heibio.

Y NADOLIG

H. Garrison Williams

Ateb hen ŵr y llety
I'r tad – "Yn llawn y mae'r tŷ;
O ras mae lle'n y preseb,
Yno yn nawr nid oes neb;
Wedyn sachyn a sychwair
Y fan a wna wely i Fair!"
Wrth y fuwch y wyrth a fu,
Yn isel ganwyd Iesu.

Yn draws, am folltio'r drysau,
Y mae'r byd o hyd, gan hau
Anwybod dwfn ar bob tu
O wrthod Crist a'i werthu;
Daw sŵn magnel rhyfeloedd
A chŵyn, yn lle'r heddwch oedd:
Rhyw agor mawr, a rhwygo
Sydd yn dwysáu briwiau bro.

O frad anllad ein hunllef
Awn am dro i Fethlem dref,
A'r aelwyd yn sirioli
Yn awr trwy rodd Duw i ni.
Awn i droi i fewn i drig
Hud alaw y Nadolig.

Y NADOLIG

Iolo Wyn Williams

Rhin y delyn fo i'r Nadolig – hwn,
  A'r gân fendigedig;
  Ei naws sydd wâr mewn oes ddig
  A'i nodau'n gysegredig.

Dathliadau

NADOLIG

D. Gerald Jones

Nid elw yw'r Nadolig, – nid trimins,
Nid tramwy sychedig;
Nid blys coeg, nid blas y cig
Ond Tad mewn Mab breintiedig.

CELYN

Tim Talwrn Ffair Rhos

Hen Goeden Gŵyl y Geni, – ni wywa'n
Dragywydd mohoni;
Mae arwydd y camwri
'Niferion ei haeron hi.

CYFARCHION NADOLIG

Dafydd Owen

Dyma anfon cofion cu; – Duw ei hun
'Fo'n dal i'ch diddanu.
Boed yn Nadolig fel bu –
Nadolig yr hen deulu.

NOSWYL NADOLIG

Donald Evans

Taer deithia eto'r doethion – heibio i Ŵyl
Y byd â'u hanrhegion
Tua stabal y galon
Â'u haur a'u thus i Wyrth hon.

NADOLIG LLAWEN

Stephen Jones

"Be' rown ni iddo fo'r
Nadolig hwn?"
"Yr anrhegion mwyaf modern,
Awyren, tanc a gwn."
"Bydd starwors hefyd wrth ei fodd
Mi wn."

"Beth am y teulu trist yng nghysgod
Y goeden grin
Sydd â'u coelbren wedi syrthio
Ar ddyddiau blin?"
"Na hidiwch, mae Bob Geldorf a'i hipis
Yn eu trin."

NOSWYL NADOLIG

Dafydd Owen

Down â llef, mae Duw'n y Llan! – Yn ei gofl
    Dwg ail gyfle truan:
    Daeth yr Iôr i geisio'r gwan
    A gwaredu a gredan'.

TRI ENGLYN NADOLIG

Tecwyn Owen

Dan y tinsel a'r celyn, – a'r hwyliau
    Ar aelwyd y bwthyn,
    Gweli, os sylli yn syn,
    Iesu yng ngwely'r asyn.

Etifedd pob rhyfeddod – yn y dom,
    A gwŷr doeth mewn syndod
    Yn sôn am Iesu hynod,
    Anwylyn bach dela'n bod.

Seren, a sach o drysorau, – asyn
    A phreseb a chlychau;
    Un bach yn ei gadachau,
    A llu nef yn llawenhau.

NADOLIG

John Glyn Jones

Mae'r wlad dan oleuadau – amryliw,
Mawr yw hwyl y chwarae;
O ganol ein teganau
Rhown iddo Ef air neu ddau.

NOSWYL NADOLIG

Alan Llwyd

Huliwn ein byrddau'n helaeth, – a mwynhawn,
Yn llawn o'n holl luniaeth,
A rhown i fyd prin ei faeth
Hosan wag ein sinigiaeth.

IESU YW

O. Trevor Roberts (Llanowain)

Er y garol a'r moli, – nid digon
Tegan na haelioni;
Daw'r wŷs gan frenhinol dri:
'Hwn ddylem ei addoli'.

NOSWYL NADOLIG

Tudur Dylan Jones

Eleni'n ein diawlineb – awn i gyd
I gwsg hunanoldeb,
Ond mae O yn huno heb
Roi hosan ar ei breseb.

NOSWYL NADOLIG

T. Arfon Williams

Fe all nad yw e'n callio – oherwydd
I seren ddisgleirio
Ond o'i gweld mae byd o'i go'
'N dal ei anadl e heno.

AWN I FETHLEM

D. Gerald Jones

Yn unol awn eleni – i gofio
Gwir gyfoeth Ei eni,
Cawn waddol o'i addoli,
A daw nawdd Mab Duw i ni.

NOSWYL NADOLIG

Idris Reynolds

Unwaith i'r ŵyl yng Nghanaan, – yn dawel,
Fe ddaeth Duw ei hunan
Yn ŵr mwyn drwy'r oriau mân
I roi Iesu'n yr hosan.

GŴYL Y GOLAU

Norman Closs Parry

Gwelwn yng Ngŵyl y Golau – Dduw ei hun
Yn ddynol fel ninnau;
Yn ddyn bach mewn cadachau
Y pwer hwn sy'n parhau.

Y DOETHION

Havard Gregory

Nid eu rhodd a adroddwn; – am eu haur,
Thus a myrr, anghofiwn;
Erys nos eu defosiwn
A rhyfeddod Duwdod Hwn.

Y NADOLIG

Ann Hughes

Coeden werdd a cherdd, a chân – yn taro
    Tant actorion bychan;
Angel a thinsel a thân:
Her i bawb garu'r Baban.

CLYCHAU'R NADOLIG

T. Arfon Williams

Ceriwbiaid uchel orielau y nef
    Sy'n llyfu doluriau
    Hyn o fyd â'u tafodau
Oni chânt eu llwyr iacháu.

NOSWYL NADOLIG

John Glyn Jones

Yn yr hwyl cyn noswylio, – a'r aelwyd
Amryliw mewn cyffro,
Aeth hen wyrth ei eni O
Yn undim ond Nintendo.

NOSWYL NADOLIG

Emyr Lewis

Un seren a gonsuriaf – i wenu
yn fy mhen, ac wylaf
yn dawel, am na welaf
innau ond tarth Afon Taf.

NOSWYL NADOLIG

Ieuan Wyn

Mae'r nos lwythog yn crogi, – ac yn fud
Gan faich y ffrwythloni
Am i'r Duw 'myrryd â hi
I raglunio'r Goleuni.

Y GWIR NADOLIG

John Talfryn Jones

Er y ffest a'r gloddesta, – er agor
Anrhegion 'rhen Santa,
Y gwirod a'r segura,
Hwn yw dydd Newyddion Da.

NADOLIG GWYN

Dic Goodman

Yn hael ei fanblu helaeth
O awyr ddu eira a ddaeth,
A heidio ar ei adain
I guddio drwg wedd y drain.

Aeron fel fferins tinsel
Sydd ynghudd, a'u sudd dan sêl.
Claddwyd gwylwyr y cloddiau
Yn eu gwyn, mewn amdo gau,
A nyddwyd les gwefreiddiol
O ddawn am redyn y ddôl.

Yn eu rhew holl brennau'r wig
Yn eilio'r 'Coed Nadolig':
Ni roed sêr claer nac aerwy
Gan neb dros eu purdeb hwy!
Ac yna'n fwrdd o danyn'
Len o gae, dan liain gwyn,
Heb adar na phraidd arno –
Bwrdd y wledd a'r wledd dan glo!

56

BABOUSHKA'R NADOLIG

Aled Lewis Evans

Baboushka
ydwyf heno,
yn chwilio am Iesu.

Ynghanol prysurdeb eleni
penderfynais
adael tan noson Nadolig
ymweliad
â dau o gyfeillion yr Ŵyl,
dau yr awn i'w gweld o gydwybod.

Ac fel y crwydrwn y nos
gelwais a byseddais yn ofer
glychau drws Acton a Bryncabanau.

Hen wreigan, Mrs Jones y Nwy,
yr addewais alw heibio iddi
a chynnau tân;
a Doris, yr annwyl blentyn,
dros ei chwe deg oed
yr arferwn ei chanfod â'i breuddwydion,
a pheri iddynt ddawnsio
am ychydig.

Erbyn nos
roedd Crist wedi gofalu amdanynt,
a'u gyrru ar daith;
a minnau
sy'n Faboushka
am i mi bryderu
am y manion betheuach
yn lle dilyn Ei Seren
i oleuo bywydau
a derbyn bendith.

Baboushka'r Nadolig,
deallaf dy wewyr di,
heno,
enaid claf.

NOSWYL NADOLIG

Emyr Lewis

Oes amau? â'r plantos yma – heno
   yn canu carola',
  dawnsio a dweud eu nos da'n
  hyderus y daw eira.

'Rwy'n gwylio'r wyrth ers oriau, – yr eira
   mor araf, mor olau,
  mor drwm, a rhaid i'r amau
  gael bod am ddiwrnod neu ddau.

NADOLIG ETO

Pat Neill

Gyda'r un seren enwog, yr un stabl,
yr un stŵr mawreddog,
hen fugail hurt efo'i glog,
oenig fach, a gwraig feichiog;
gyda'r un rhwysg dwyreiniol, yr un daith,
yr un Doethion bythol
a'u rhodd, nid oes ffordd ar ôl,
heddiw, i greu cerdd wreiddiol.

Y NADOLIG

W. J. Bowyer

Darfod wna'r hwyl ar derfyn – y loddest
A'r gwledda amheuthun,
Ond o gael ein Ceidwad gwyn
Oni ddylem ei ddilyn?

ANRHEGION

Norman Closs Parry

Uchelwydd, tinsel a chelyn, – iorwg,
Hen sieri a ffowlyn,
Cardod tu ôl i'r cerdyn,
A rhodd wag i'r llariaidd Un.

NOSWYL NADOLIG

John Glyn Jones

Fe gofiwn, pan rannwn yr hwyl – ynghyd
Yng ngwefr y cyd-ddisgwyl
Rannu gyda'n rhai annwyl
Wyrth yr Iôr ar drothwy'r Ŵyl.

NADOLIG

Rhydwen Williams

Mae cofio'r Geni a'r angylion gwyn
yn hwyl reit ddiniwed bob Nadolig fel hyn;
mae carolau'r epig a'r c'lennig a'r clych
unwaith y flwyddyn yn syniad gwych.
Bydd milwyr yn mwyneiddio o ffin i ffin,
a'r dirwestwyr yn mentro rhyw wydraid o win;
ac y mae'n dipyn o beth yn y byd fel ag y mae
i blentyn gael yr orsedd am ddiwrnod, fel petae.

Ond, erbyn meddwl o ddifri, beth yw Duwdod mewn crud
mewn oes pan yw Dyndod yn hawlio'r gofod i gyd?
A beth yw doethion bach o'r Dwyrain yn mynd am dro
i weld Baban Mair ym Methlehem Fro?
Mae dewin gwyddonol ein gwareiddiad broc
yn ymweld â'r planedau wrth glic ei gloc!

Gwell ail-lunio'n credoau a'n salmau a'n mawl
os yw'r Duwdod ar ei gread wedi hen golli'i hawl;
gwell aralleirio'r Gyffes ac ailwampio'r Ffydd
os yw Brenin Tragwyddoldeb wedi hen golli'r dydd;
a gwell ailystyried y Tri-yn-Un
os oes trindodau newydd i ddifyrru dyn.

Ac eto, ac eto, cyn tynnu'r trimins i lawr
a difrïo'r Fadonna a'r Meseia Mawr,
cyn rhoi taw ar yr angylion a gyrru'r bugeiliaid yn ôl,
a dweud wrth yr Anfeidrol i beidio â bod mor ffôl,
ai gwell tybed gofyn i'r Americanwr pam,
os dinistrir ein byd, nad yw'n malio dam;
ac i'r Rwsiad uchelgeisiol o werinol dras
a yw'n siŵr bod grym yn drech na gras;
ac i wleidyddion imperialaidd yr hen Brydain brudd
pam na chaiff ein cenedl fod yn genedl rydd?

CLYCHAU'R NADOLIG

R. J. Rowlands

Cyfeiliant byd cyfalaf yw eu tinc,
Ond cân til sydd uchaf,
A'n hoes lom, i aur yn slaf,
Yn grechwen i'r Goruchaf.

CERDYN NADOLIG

Robin Llwyd ab Owain

Eira'n drwm –
yn gôt o gotwm ar gytir
a'r maestir yn wyn fel Mair.

Eira pur yr amserau wedi fferru
a'r pîn yn frenhinol dragwyddol,
yn ganhwyllau gwêr.

Seren egwan yn cynnau Seren
â'i gwên yn ein consurio
a'n lledrithio'n llwyr. Dacw dri'n
penlinio yn ei goleuni
o flaen y glanaf a'r geinaf ei gwisg a'i gwedd:
Mair wen, lân. A dyma'r mab,
y baban difrycheulyd a anwyd ohoni:
Duw a dyn wedi uno'n gyfanwaith rhyfedd.

Am ragrith! Am rwtsh!
Fe'm lledrithiwyd yn llwyr!
Nid yw'r llun yn llawn, yn gyflawn;
mae rhan ar goll!

Y tu hwnt i ymylon teg y llun mi welaf Mair,
ymysg y bustych, yn griddfan ac yn tuchan
drwy'i chyhyrau tynn
a bwa'i chorff yn staen porffor.

Ym mudreddi'r stabal mae'r geni'n rhwygo'i gwedd
fel y rhwygodd ei gwisg
cyn iddi wlychu ei gwely gwair;
chwysu a bustachu yn y baw a'i stomp –
bustachu heb steil.

Mae eiliad cyhyd â miliwn
pan fo'r byd yn llafn o boen.

Hithau yn ei gwthio'i hun drwy ei gwythiennau
nes i'w sgrech noeth esgor ar waedd,
nes i'w phoen esgor ar gorff hyll o hardd,
hardd o hyll.

Ac wrth y carthion
y tu hwnt i ymylon y llun mi welaf

Fair y fam,
fel pob mam
ym mrychni'r geni yn synhwyro gwyrth.

Ac yn ei dwylo –
wedi'i beintio'n binc –
yr ymgnawdoliad
yn ysgarlad ac yn borffor
yn ei wisg o waed
ac yn berffaith!

Dau lun gan ddau arlunydd,
a dwy ran o'r cyfanwaith
yn agweddau ar yr *un* digwyddiad.

A'r naill heb y llall
yn unochrog, yn unllygeidiog,
yn gysgodion lliwiau,
yn wirionedd gau
ac yn gelwyddau gwir.

Y NADOLIG

Eirwyn George

Ai gogoniant y Geni – a gedwir
Ar goeden y festri,
Ai Mair a ddug ein miri,
Ai'r Seren yw'n hangen ni?

YR YMWELYDD

Alan Llwyd

Pe dôi'n llawen eleni – a mynnu
Ymuno'n ein miri
A'n mwynhad, ni fynnem ni
Y Mab hwn yn gwmpeini.

GALWAD I'R FFAIR

Mathonwy Hughes

Mae'r Dolig yn dŵad! Hwre bois bach!
Bu Santa ers misoedd yn llenwi'i sach!

Cawn ddianc am ennyd o'r byd sydd o'i go',
Mae clychau'r angylion yn canu ers tro.

Mae'r Dolig yn dŵad! Mae'n bryd paratoi;
Clywch sŵn yr olwynion blynyddol yn troi!

Bu'r Drefn 'leni eto mor hael ag erioed,
Darparwyd yn helaeth ar gyfer pob oed.

Gwahoddus y nwyddau o'n cylch ymhob siop,
Disgleiriant. Gwreichionant i fiwsig pop.

Ac os nad yw'r nwydd yr un geiniog yn is,
Mae'n rhaid 'prynu presant' waeth beth fyddo'r pris.

Pentyrrwn barseli. Gorlwythwn y post,
Mae'n rhaid 'cadw'r arfer' waeth beth fyddo'r gost.

Daw'r dull hwn o ddathlu Nadolig Mab Duw
I fygu pob griddfan 'o bell' ar ein clyw.

NADOLIG HEDDIW

T. Llew Jones

Daeth awr dadsgriwio'r corcyn, – yna'n boeth
Daw i'n bwrdd y ffowlyn!
Llwm oedd preseb y Mebyn
A beudy oer Mab y Dyn.

SEREN

Gerallt Lloyd Owen

Er gweld seren eleni – yn arwydd
Uwch Sgwâr Piccadilly
Gofalwn na welwn ni
Y dyn a gwsg o dani.

SANTA

Dai Rees Davies

Cyfaill plant ydyw Santa
A ddaw draw o Wlad yr Iâ
I rannu o'r gyfrinach
Sy'n fwndel dan sêl ei sach.

Yn ei gap a'i fantell goch
Bu hwn gan bawb ohonoch,
Yntau'n medru rhannu'n rhwydd
Niagra'i garedigrwydd.

Ym more oes daeth i'm rhan
Ryw ias wrth agor hosan,
Ond mae'n well gennyf bellach
Lenwi hosan baban bach.

NADOLIG YNG NGHAERDYDD

Owain Arfon

Disgwyliais ger y goleuadau,
oerais yn y meinwynt a'r glaw
yng nghysgod y castell
wrth i'r tylluanod olwynig

        wibio heibio
gan sblatsian eu ffordd drwy orenddu'r gwyll.

Fflachiodd y dyn bach gwyrdd
ac yna
poblach wynebsur
yn rhuthro a gwthio ac yn ymhyrddio heibio,
â'u bagiau a'u bocsys
a'u hymbarelau pigog
yn cicio
yn dyrnu
yn pinsio – Aw!

Ceisiais ymgeledd yn nhwnel Castle Arcade,
ond yno
tasgai'r tinsel tuag ataf
o bob cyfeiriad.
Popeth yn un sbloetsh fawr
ac eira Persil dros bob man,
a swnian cwynfanllyd y plantach di-baid
isho … isho … isho … isho … isho
yn mynnu,
na MYNNU
gweld Santa pob siop.

Ergydiais drwyddynt
y petheuach bach balch
wrth i'w gweiddi hwy
a rhegi'u rhieni godi'n greshendo
symbalaidd,
fel ceir
yn malu
i'w gilydd
un ar ôl y llall
tash, tash, tash!

Yna, llifodd pernodau carol y ffliwtiwr
yn araf, araf o ben draw'r arcêd
gan leddfu a lleddfu'r trwst
rhwng muriau fy mhenglog.

Llifais innau fel dŵr trwy biben lagin
gan fyrlymu'n dawel fodlon
tuag ato,
tuag at breseb pasiant y plant yn yr ysgol Sul.

Rhoddais sofren felen iddo,
Aur
yn ei het fach dila,
a bodlon oeddwn.

Gwenodd yntau ei ddiolch
a'i fodlonrwydd ef
yn disgleirio fel Seren Bethlehem yn ei lygaid
– cyn cychwyn chwarae 'Jingle Bells' …
Batman smells … meddyliais
a byrstiodd peipen fy modlonrwydd
eleni eto.

Caniadau

CAROL:
BABAN MAIR

Eirian Davies

Mae sŵn yr anifeiliaid
Yn stablau oer y byd
Yn boddi sŵn y Baban
Sy'n cogran yn y crud.

Mae'r teithwyr yn mynd heibio,
I'r ffatri ac i'r ffair,
Heb amser mwy i blygu
Yn ymyl Baban Mair.

Mae Herod ar ei orsedd
A gwaed yng ngwely'r nant,
A thrwm yw'r dyrnau milain
Sy'n malu cyrff y plant.

Gan fod y clychau'n canu
I'r Crëwr yn y crud,
Distewch, chwi anifeiliaid
Yn stablau oer y byd.

Gan fod y clychau'n canu
Hwiangerdd Baban Mair,
Ymbwyllwch bawb sy'n rhuthro
I'r ffatri ac i'r ffair.

Gan fod y clychau'n canu
Nes llonni bryn a phant,
Arafa dithau, Herod,
Ac arbed gyrff y plant.

Oedwn i dawel wrando
Anthem y clychau clir,
A chodwn o rigolau
Ein difaterwch hir.

Mae'r Baban *wedi* Ei eni,
A'i breseb yn ein bron,
Hosanna, haleliwia,
Canwn oll yn llon.

CAROL: GANWYD IESU

W. R. P. George

Ganwyd Iesu'n nyddiau Herod,
Ganwyd Iesu'n Frenin Nef;
Gwelwyd seren yn y Dwyrain
Oedd yn arwain ato Ef.

 Rhown ein moliant
 Uwch Ei breseb,
 Mae'r gogoniant
 Ar Ei wyneb,
Wyneb Iesu, brenin Nef.

Wele'r seren yn y Dwyrain
Yno'n sefyll yn y nen
Uwch y lle gorweddai'r Iesu;
Bu llawenydd mawr dros ben.

 Rhown ein moliant, etc.

Rhoes y Doethion eu hanrhegion
Wrth Ei breseb ar y gwair –
Aur a thus a myrr a sidan,
Llawer trysor i Fab Mair.

 Rhown ein moliant, etc.

Dwed angylion gyda dynion
Ef yw'r trysor mwya'i fri,
A thra rhodiom lwybrau daear
Iesu Grist fo'n brenin ni.

 Rhown ein moliant, etc.

Y PLYGAIN

Tîm Talwrn Bro Lleu

Yn ein newyn anniwall – awn i'r Ŵyl
 Garolau'n ddiddeall
 I ddyheu, a'r weddi'n ddall,
 Er mor hwyr, am wawr arall.

CAROL NADOLIG

W. Rhys Nicholas

Wele Grist, y mab o'r nefoedd,
 Heddiw'n dod i wisg o gnawd,
O! ryfeddod, ei fod bellach
 Yn dod atom ni yn Frawd.

Cytgan:
Fe gawn ddawnsio, fe gawn ddawnsio,
 A'i glodfori yn gytûn,
Fe gawn ddawnsio, fe gawn ddawnsio
 Wrth groesawu Mab y Dyn.

Brenin yw uwchlaw brenhinoedd,
 Ceidwad yw i bawb yn awr;
Daeth yn amser agor drysau
 Ac i dynnu muriau i lawr.

Cytgan:

Mentrwn oll yn llon at ffrindiau,
 Codi wnawn ei faner Ef,
Baner rhyddid, baner cariad,
 Rhyfedd gariad Duw y nef.

Cytgan:

Rhoddwn le i Grist yr Arglwydd,
 Atom ni mae wedi dod,
Ac ar fore ei Nadolig
 Iddo Ef y seiniwn glod.

Cytgan:

CAROL: Y DISGWYL

John Roderick Rees

Mae'r miloedd sêr yn ddawns i gyd
Yn wybren danbaid Bethlehem
A doethion dwys y dwyrain gwâr
Â disgwyl yn eu trem.
A ddaeth Meseia Duw,
Addewid hael pob proffwyd gynt,
Yn hedd y noson hon
I lawr i'w plith i fyw?

Mae'n cychwyn nawr, Ei Seren Ef,
Yn ddisglair iawn drwy'r awyr fud,
A'r doethion yn ei dilyn hi
Yn ufudd at y crud.
Yn mynd ar sicr daith
Gan siantio Salmau hen eu cred
I denau glust yr hwyr,
Wrth droi i'w siwrnai faith.

Arafa'r seren ar ei rhawd,
Daw newydd gyffro eto i'w cam
O'i gweld yn sefyll yn y nef
Yn llonydd, loyw fflam.
Aroglant sawr y gwair
A phlygu pen wrth isel ddrws,
Gan ddwyn eu rhoddion drud
At breseb Baban Mair.

CAROL

W. Rhys Nicholas

O! seiniwn eto newydd gân
    O glod i Faban Mair,
Cans trwyddo Ef daeth cyfle glân
    I brofi rhin y Gair.
Moliannwn Ef, moliannwn Ef,
Sy'n tynnu'r cread tua thref.

Am iddo gynnig ei iachâd
    A balm i glwyfau'r byd,
A throi'r tywyllwch dilesâd
    Yn fore gwyn o hyd,
Moliannwn Ef, moliannwn Ef,
Sy'n tynnu'r cread tua thref.

Am iddo beri i galon dyn
    Obeithio a dyheu,
Am iddo'i roddi Ef ei Hun
    Yn Ysbryd i'n hail-greu,
Moliannwn Ef, moliannwn Ef,
Sy'n tynnu'r cread tua thref.

GALWAD BETHLEM

Dafydd Owen

Ar ddiwair wŷs dduwiol, daeth Seren, daith siriol,
 hyd lety bach doniol Mab Duw;
yn weddus â'u rhoddion y daeth y tri Doethion,
 a'r Seren oleulon yn llyw.
Tra gwyliai'r Bugeiliaid, lu dyfal, eu defaid,
 daeth Engyl, lu cannaid â'u cân
I'w hannog a'u denu at breseb yr Iesu,
 eu dwyn yno'n deulu ar dân.
Moliannwn, eleni! Mae Oen wedi'i eni
 sy'n trechu'r trueni a'r trais!
Ym myddin Crist 'listiwn, ei heddwch cyhoeddwn,
 a'r byd oll a lonnwn â'i lais.

O'r preseb daeth Prynwr, ein Brawd a'n Iachawdwr,
 â'i boen dwg bob anwr yn bur;
caed gras y Gair oesol o'i angau cyfryngol,
 a'r bywyd tragwyddol o'i gur.
O! deled ei olau yn ebrwydd i'n llwybrau
 i'n dwyn yn dylwythau ei lys;
wel unwn, lu annwyl y wyrthiol gymhorthwyl,
 i'w gyrchu i'w breswyl â brys.
Moliannwn, eleni! Mae Oen wedi'i eni
 sy'n trechu'r trueni a'r trais!
Ym myddin Crist 'listiwn, ei heddwch cyhoeddwn,
 a'r byd oll a lonnwn â'i lais.

Y NEGES

Robert Henry Parry

Gwrandewch ar y clychau
yn seinio eu carol;
gwrandewch ar y plantos
yn canu eu cân;
gwrandewch ar y neges
sy'n pontio'r canrifoedd,
  hen neges Tangnefedd,
  a ddaeth drwy'r Etifedd
  a anwyd ym Methlem
  i ddaear ddi-hedd.

Arhoswch am ysbaid
ym miri y dathlu;
arhoswch, myfyriwch,
a chofiwch y bu
i'r gŵyl Arglwydd Iesu
ein hannog i feithrin
  y ddawn o frawdgarwch,
  er ennill diddanwch
  a chodi'r holl bobloedd
  yn unfryd o'r llwch.

O! cenwch yr anthem
yng nghlyw y cenhedloedd,
O! cenwch y geiriau
yn eglur ar goedd;
atseiniwch y neges
sy'n hen, eto'n newydd,
  gan erfyn yn daerach
  am ddod o'r gyfathrach
  a una'r ddynoliaeth
  yn un teulu iach.

Nadolig
y Blynyddoedd

NADOLIG 1958

Rhydwen Williams

Daw'r Nadolig a'i lawenydd unwaith eto,
Y celyn a'r carolau, yr uchelwydd a'r miwsig,
A'r teuluoedd teledlon yn eu parlyrau.
Ond bydd rhai heb ran yn y chwerthin a'r chwarae.
Yno heb fod yno, cerdyn ar y mur
Ac enw ...

O'r Eglwys Gadair drist i'r dafarn lawen,
O'r bryniau cysglyd a'r ystrydoedd du,
Daw caniadau'r ŵyl
Fel haen o gyfoeth newydd yn y nen;
Ac ambell un yn clywed uwch y cwbl
Ddesgant o'r dwyster,
Yr adar cerdd a lonnodd Harddlech gynt.

Estron yw duw i ni,
A phellach na'r dyn-yn-y-lleuad
Oddi wrth ein haflendid a'n gwendid a'n gwae.
Ni ddeall ein hiaith
Ac nid edwyn ein deunydd.
O, y mae cyn lleied i ddyn obeithio amdano!
Down oll i wylo wrth fedd Milete, hwyr neu hwyrach.
'Ffarwél' yw'r unig air o bwys
Yng ngeirfa ein meidroldeb,
Onid yw'r garol yn gywir,
Oni holltwyd ein tywyllwch gan y Seren
Ac oni frodorodd duw gyda dyn.

Elisabeth a Branwen, Mair a Rhiannon,
Nid oes fedd i'w mawredd mwy;
Trigwn bawb ar ei ynys ei hun,
Ond y mae Cariad wedi'n cyrraedd,
Chwedl a chredo,
Yr angylion a'r adar cerdd.

A heno, cyffesaf fy mreuddwydion
Fel y cyffesa sant ei bechodau;
Yr wyf yn euog o gariad

A thrymlwythog o'th enw
Fel y Forwyn gynt o'r Gair;
A thyf dy gusan
Fel rhosyn coch ar fron yr eira gwyn.

NADOLIG 1972

T. Glynne Davies

Crafu'r hen emynau,
    Rhoi Leila ar y gram:
A'r cwbwl lot heb gyfri'
    Dim dam.

Gwisgo het Nadolig,
    Dawnsio i lawr y stryd;
Papur ydi bywyd
    I gyd.

Wig a dannedd gosod,
    Dal y cefn yn syth;
Gwyro fydd y gangen
    Am byth.

Peint a pheint a photel,
    Iechyd da, glŵg-glŵg,
Troi'r gwaelodion isa'
    Yn jwg.

Brefu llafarganu
    Fel hen fynach moel;
Neb i ganu'r cytgan:
    Dim coel.

Y BYD SYDD OHONI 1973

Derwyn Jones

Ceyrydd sy'n gwawdio'r Cariad, – a'u harfau
    Gorfod a bygythiad;
Ein byd hurt heb 'nabod Tad,
Cedyrn heb 'nabod Ceidwad.

NADOLIG 1983

John Roderick Rees

Hedfanodd y taflegrau
I'w nyth drwy'r balihŵ,
Heibio i browl y *gwragedd
(Ble mae'u haelwydydd nhw?):
Ar lwyfan ysgol, baban Mair,
A'r twrci, druan, yn tŷ pair.

Yng ngwayw hir Iwerddon,
Llofruddiog lonydd bach
A brwmstan ideoleg
Yn llygru'r awyr iach:
Trwy nos farugog, ar ein clyw
Carolau'r ifanc, heddwch Duw.

Mae cysgod bryniau Golan
Dros Wlad Addewid Crist
A Libanus y cedrwydd
Yn faluriedig drist:
Y tanciau tegan yn eu hedd
Yn croesi'r aelwyd wedi'r wledd.

* *Gwragedd Comin Greenham.*

NADOLIG 1984
(A phob Nadolig arall)

Bryan Martin Davies

Tew erbyn hyn yw'r twrcïod yn y batrïoedd gwynion,
eu cig yn crynu'n fodlon dan feddalwch eu plu.
Llachar yw'r gwinoedd a'r gwirodydd yn y poteli gloywon
yn yr archfarchnadoedd, lle mae'r blychau siocled yn llu.

Y mae sêr y teledu yn paratoi eu sioeau gwefreiddiol
i gynhesu ein haelwydydd â'u digrifwch a'u cân,
ac ar waethaf yr economi, mae pob siopwr yn obeithiol, herfeiddiol
y bydd eu silffoedd gyda hyn yn gwenu yn eu gwacter glân.

Llindegir y Baban yn ei breseb unwaith eto eleni,
a dinoethir y Doethion o'u haur, eu thus a'u myrr.
Fe saethir o'r entrych ddisgleirdeb seren y Geni
a bydd llefain yn Rama, cans calon pob Rachel a dyr.

Erbyn y seithfed ar hugain, ni fydd ar ôl ond esgyrn aderyn
yn rhythu arnom, fel y gwna o'r trydydd byd, ysgerbwd o blentyn.

NADOLIG 1987

Alan Llwyd

Yr un geiriau'n y garol, – yr un rhin
   I'r hanes lledrithiol,
   Yr un cyffro eto'n ôl,
   Er hynny, mor wahanol …

NADOLIG 1988

Donald Evans

A wêl y Mab eiddil, mud – yn yr us
   Mewn preseb cyfoglyd,
   A'r ych croch goruwch y crud
   Yn ei faw, a wêl fywyd.

NADOLIG 1988
(Tri englyn)

Gwilym Roberts

Ar hen Ŵyl o Fryn Awelon – atoch
   Eto gyrrwn gofion;
   Gŵyl o wledd a hedd fu hon,
   A Gŵyl gynhesa'r galon.

Melys ar gefn camelod – i'r Doethion
   Fu'r daith dros y tywod,
   Melysach oedd nos gosod
   Rhoddion bach i'r Hardda'n bod.

Emyn y Nadolig yma, – rhengoedd
   Yr engyl atseinia,
   Heddwch yw'r hyn gyhoedda,
   'Llais Duw yw ewyllys da'.

NADOLIG 1988

Iwan Llwyd

Daw tywyllwch yn sydyn
ar noson o Ragfyr,
fel seren yn disgyn
yn golsyn o'r awyr:

fel dinas heb lety,
fel heol heb olau,
a delweddau'r teledu'n
diriaethu gofidiau:

o gysgod i gysgod
ymbalfalwn ninnau
drwy gelanedd babanod
heb wybod y geiriau.

NADOLIG '89

Ifor Davies

Naws y gân ar nos geni – Aer y Nef
Yw'r naws sydd yn llonni:
Heddiw yn hael gwleddwn ni
A'i adael yn Ei dlodi.

NADOLIG 1990

Emrys Roberts

Trac roced tua'r llety – o'r palas
Ar ras am yr Iesu
Yw poer y ddwy fampir ddu –
Dwy ar sbîd dros y beudy.

NADOLIG 1990

W. Rhys Nicholas

A ddaw i'n Dydd newyddion da – uwchlaw'r
Groch lef am ryfela?
Ai briw hyll a hir barhâ
Yw'r rhybudd o Arabia?

NADOLIG 1990

Pat Neill

Un tro daeth y tri doethion – i gynnig
Eu hynod anrhegion:
Heddiw, a ddônt â rhoddion
I eilio hedd yr ŵyl hon?

NADOLIG '90

Donald Evans

Am mai planed annedwydd – o raib oll
Yw'r byd a'i gywilydd
Fe ddaeth yng nghynnwrf Ei ddydd
I'r milain yr Ymwelydd!

TRAIS
(Nadolig 1991)

Wyn Owens

A'r garol i'w chlywed
  Ar gornel y stryd
Yn galw'r ffyddloniaid
  Tymhorol ynghyd,
Ni chlywyd mo'r gri
  Gyda'r hwyr yn gwanhau,
A Threisiwr yn cilio
  Fel llwynog i'w ffau.

A'r tanciau yn tanio
  Eu neges tros dir
Y Croat, mae'r bwled
  I'w glywed yn glir.
Yno mae Bomiwr
  Yn lledaenu ei fraw
Am na chlywodd mo'r Gair
  O Fethlehem draw.

Fe'i clywyd serch hynny
  Yn yr Ynys Werdd
Lle mae mwy na hiraeth
  Yn rhoi lliw i'r gerdd,
A chafwyd Terfysgwr
  Yn rhoi saib i'w wn
Fel parch at dangnefedd
  Y Nadolig hwn.

NADOLIG 1991

T. Arfon Williams

Heddiw'n chwil ar wib dros ddibyn â'n byd
  ac o bwll anoddun
   ni ddaw nes dyfod o ddyn
   eto yn ddiniweityn.

CERDD NADOLIG
(1991)

W. Rhys Nicholas

Mae'r sêr ar eu harddaf heno,
　　Ni fuont mor ddisglair erioed:
Mae Amser ei hun yn llawn cyffro
　　Fel petai'n dyfod i'w oed.

Mae'r adar yn clwydo'n ddiogel,
　　Mae'r praidd yn saff ar y bryn,
A llithra hud y dirgelwch
　　Dros fronnau'r mynyddoedd hyn.

Mae'r teulu ar lawer aelwyd
　　Yn closio'n nes at y tân,
A theimlant yr hen gyfaredd
　　Yng ngafael y disgwyl glân.

Fel gynt fe ddaw Mair a Joseff
　　I bentref Bethlehem draw,
Ei fraich yn gryfder amdani
　　I leddfu baich unrhyw fraw.

Ac yno fe enir baban,
　　A throir y preseb yn grud;
Fe leda'r angylion y newydd,
　　'Hwn yw Gwaredwr y byd!'

NADOLIG 1991

Derwyn Jones

Yn ei heddwch anniddig, – yn nherfysg
Byd arfog, rhanedig,
A chrochlais trais, boed i'ch trig
Dawelwch y Nadolig.

NADOLIG 1991

Gwilym Roberts

Molwn gerllaw'r camelod – y Baban
Ddaeth i bawb yn syndod:
Cofiwn yn sŵn asynnod
Yn Faban byw i Dduw ddod.

NADOLIG 1991

Emrys Roberts

Llamwn, gan golli'n llymaid, – i gau sgrîn
Rhag sgrech ffoaduriaid;
Heb yr un llety'n y llaid,
Llwgant heb flino'n llygaid.

DUW NADOLIG, 1992

Gwilym Roberts

Clyw Ef lef o Iwgoslafia; – clyw floedd
Miloedd o Somalia;
Er ein nos Ef deyrnasa
A llais Duw yw 'Wyllys Da.

NADOLIG 1992

W. R. P. George

Yn nhawelwch Nadolig – y seiniwn:
"Hosanna, Bendefig!
Di, geidwad bendigedig
Ein daear ddall, waedrudd, ddig."

Mewn nos sarrug mwyn seren – a welwn
Yn orielau'r wybren,
A chawn ias weld gloywach nen
Y nefoedd drwy'r ffurfafen.

NADOLIG 1992: CAER

Norman Closs Parry

A niwl rhewllyd nos
Fawrth cyn yr Ŵyl fawr
yn drwm dros y dref …

Llygredd mwg cerbydau mewn ffroenau'n llosgi'n ffrwd …
Amdanaf ac arnaf lapiai'r oerni
er bod arwyddion y siopau'n gwreichioni
eu newyddion da a'u gwahoddiad
i garol y gwario.

Nadolig yr arian plastig yn rhemp yn ein plith …
ymestyn y cerdyn i'n cell –
pay-roll y clawdd, ac ar ôl clec
y teclyn, pecyn o bapurau pum punt
yn boeth ffres, yn foeth ffri.

O siop i siop mae'r hen Sant
a'i geirw'n ymuno'n y garol:

'*Good King Wenceslas*' yn asio
â hen alaw y '*First Noël*'
i hybu'r gwario mewn gobaith:
arwydd o'n dihidrwydd am yfory.

Geiriau o gorlan gwirod
archfarchnad yn rhuthrad yr Ŵyl:
"*It's going to be a very merry Christmas*"
a chlincian mwy o boteli i'r troli trwm …

Mor blaen y straen ar fôr wynebau'r stryd:
absen pob llawenydd
a'r addewid annwyl a roddwyd inni
gan y côr nefol â moliant
eu cân y Nadolig hwnnw …

Ai seren wib yn gwibio heibio oedd?

Heno, ym merw'r dref, anodd
yw canfod cyflawnder ymddangosiad y Seren
a'r holl wariant a'r chwant chwil
yn dallu, yn denu dyn
i rusio dros risiau'r presinct
lle'r oedd y Cyngor wedi Ei roi i orwedd
mewn preseb clai dan drem Mair wyneb clòs.

Dan strym gitâr cardotyn yn gofyn ar gân
am gymorth i ymborthi –
dim ond briwsion o'r llawnder sy'n goferu
o werddon ein byrddau, a'n llogellau'n llawn.

Lluniau i'w gweled o'r siop deledu:
y miloedd yn Somalia,
hefyd Sarajevo …

A ninnau yn ein moethau mawr
a'n prynu gwyllt yn pallu gweld
hen lawenydd y Gwir Oleuni
yn anthem ein dyddiau benthyg.

NADOLIG 1992

Mathonwy Hughes

Gwawriodd Nadolig arall – a'i newydd
Gynhaeaf i gibddall
Oes flysig; Nadolig dall
I'r newyn mawr anniwall.

NADOLIG 1993

Gwilym Roberts

Daliwn ar Ŵyl y Nadolig – obaith
Y Baban bach diddig
A dry, er tloted Ei drig,
Yn Geidwad bendigedig.

NADOLIG 1993

Gwilym Roberts

Dylem ar Ŵyl y Nadolig – gofio
Am gyfaill fo'n unig;
Rhannu gair a'n darn o gig
Ar stryd y rhai rhwystredig.

NADOLIG 1993

T. Arfon Williams

Er cynifer pryderon hyn o fyd
Na foed ich, gyfeillion,
Ond cael yr Ŵyl annwyl hon
Yn felys ddiofalon.

NADOLIG 1993

Havard Gregory

Yr anghyffredin ddirgel gyfrinach –
Mai'r didda a lleidiog amrwd ddilladach
'Fu'n gawell Brenin y dwyfol linach
A diwyd gyfaill colledig afiach;
Y ne'n bod mewn hen un bach! Yn iechyd,
Ei hedd i 'mywyd a ddaw im mwyach.

NADOLIG 1993

Derwyn Jones

Y dewis hwn a'n dwysâ, – nid yr Oen
Ond yr Arth i Rwsia;
Herio Duw, a sathru'r Da
Yw tueddiad plant Adda.

NADOLIG '93

Donald Evans

Nadolig: hen adeilad; – ger y fuwch
Gwyry Fam dan deimlad,
A Baban o lân luniad
Mewn gwair llwydwyw, a Duw'n Dad.

NADOLIG 1993

*(Wedi clywed dau ddyfyniad o bosteri ym mhregeth Nadolig
fy ngweinidog, Y Parch. Carys Ann Williams –
'A dog is not just for Christmas.'
'Nid yw'r CRIST ond am y Nadolig …')*

Jon Meirion Jones

Geiriau hud am anrheg roes – ddihareb
Trwy hysbyseb eisoes:
Ond o'r Oen daw hir einioes –
Mae Ef yn anrheg am oes.

NADOLIG 1995

Alan Llwyd

Amlen nad ysgrifennwn – arni'r un
   Enw, a rhodd nas prynwn,
  Nas gyrrir, nas agorwn
Yw cur y Nadolig hwn.

NADOLIG 1995

Pat Neill

Daw ffoledd – porc rhost a ffowlyn – y port
 A'r parti, ond wedyn,
  Tu ôl i'r tinsel, celyn,
 Hud a hwyl, mae Duw ei hun.

NADOLIG 1995

Euros Jones-Evans

Am orig yng nghanol miri – a hwyl
 Y 'Dolig eleni,
  Meddyliwn am addoli
 Duw'r Nef a'n gwaredwr ni.

NADOLIG 1995

Gwilym Roberts

Tua Bethlem eto tremiwn, – a'r crud
 Lle bu'r Crist a garwn;
  Edifeiriol glodforwn
 Eto eleni eni hwn.

NADOLIG 1995

Norman Closs Parry

Eleni boed i'r goeden, – ac iorwg,
 Aeron a chelynnen,
  Holl sbri a hwyl yr ŵyl hen,
 Rywfodd droi yn sagrafen.

NADOLIG 1995

Gwilym Herber Williams

Y mae er ein hamheuon, – nyni, bawb,
   Y Baban yn galon;
   Un Nadolig sy'n ddigon
   I Dduw roi i'r ddaear hon.

Yng Nghysgod Herod

WEDI'R ŴYL

Rhydwen Williams

Gwae chwi, y groseriaid siwgraidd,
    arglwyddi yn eich ffedogau gwyn,
gwnaethoch y Nadolig yn ffair mewn ffenest,
    rhoesoch yr Ymgnawdoliad mewn tun!

Gwae chwi, y cigyddion cegog,
    na hidiwch am na damnedigaeth na dig,
troesoch y Geni Gwyrthiol yn goginio
    a'r Mab Bychan yn gig.

Gwae chwi, yr argraffwyr ffyrnig,
    a'ch cardiau melyn a phinc;
ar y Perffaith y mae print eich peiriannau,
    ar y Santaidd y mae staen yr inc.

Gwae chwi, offeiriaid y ffatrïoedd,
    dyfeiswyr pob tegan a sgêm;
aeth diniweidrwydd plant bach yn ddimeiau
    a'r garol yn rhan o'r gêm.

Gwae chwi, y bragwyr ansabothol,
    na pherchwch na thraddodiad na ffin;
rhoesoch yr ewyllys da i gyd yn y gasgen
    a gwaddod eich masnach yn y gwin.

A gwae finnau, ynfyd hunanol,
    a dderbyniodd y maldod i gyd,
am ffoli ar Nadolig o uchelwydd fel hyn
    fel pe bai bywyd yn bwdin i gyd.

Y NADOLIG

Elwyn Edwards

Gwae inni droi'r bachgennyn – yn alaw
    Gorfoledd bob blwyddyn,
    A'i wrthod o ddod yn ddyn
    Yn ei waed sanctaidd wedyn.

GŴYL Y WYRTH

Dafydd Hughes Jones

Y mae'r Wawr ym mro Herod yn y gwyll,
    Ac mewn gwarth mae'r Cymod;
    Yn dawedog mae'r Duwdod
    Yn un bach a'r Mwya'n bod.

ANRHEG

Deulyn Wyn Williams

Wele Ogoniant y bydysawd
      yma o fewn byd y groth.
Un wedi'i lapio'n dynn mewn ragiau gwael
nas ganwyd gan ddyn amser …

Mae'n mynd i'w lapio'i hun o gylch dau bren, cyn hir
nes rhwygo ei gnawd papur
gan siswrn
'sgrifbinnau
a staplau o ddrain …
Rhwygo'r cyfan
     gan ein camweddau
yn anrheg fyw i'r byd o hyd.

WEDI'R NADOLIG

Ceri Wyn Jones

Heno fe rown fel llynedd
ŵyl y byw yn ôl i'w bedd,
gan gloi doli'r babi bach
i gadw mewn hen gadach,
ac i'r atig rhoi eto
ddisgleirdeb ei wyneb o
ar y llawr yng ngwely'r llwch,
yn ddoli o eiddilwch.
Yno 'nghrud ei alltudiaeth
mae'n rhith o gorff, mae'n wyrth gaeth,
ac ogof ein hangof ni
ni wêl heno'i oleuni.

NADOLIG

Idris Reynolds

O'n mewn wrth wrando'r stori – y ddau lais
Ddeil o hyd i'n poeni,
Rhan o'n bod yw'n Herod ni
Ac ynom mae y Geni.

GWEDDI

Eirian Davies

Heddiw, mewn oes anniddig, – i'n harwain
   Dyro'r Seren ddiddig
   A dawelo'r Nadolig
   Lle bo gwreichion dynion dig.

'LENI ETO

Donald Evans

Mae 'na ynom hen annedd – yn olau,
   Ac anwyliaid llynedd
   Ynddi hi'n ail-loywi'r wledd
   Yn gyfan o ddigeufedd.

ER FY MWYN

Dafydd Owen

Pechod wrth draed 'Mab Bychan' – mewn beudy;
   Mwya'n byd yn druan
   daioni Duw ei hunan:
   hynod yw gwerth f'enaid gwan.

NADOLIG ARALL

T. Llew Jones

Heno a'r tir yn anial, – a'r rhewynt
   Yn rhuo'n ddiatal,
   Cofiwn yn sŵn ein sbort sâl
   Am nos debyg mewn stabal.

NADOLIG

John Glyn Jones

I'n byd ni, y Mab di-nod – a aned;
　　Moli wnawn ei ddyfod;
　　I'r baban glân rhoddwn glod,
　　Rhown ein harian i Herod.

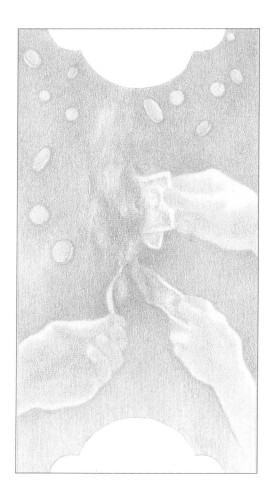

WEDI HELYNT NADOLIG

Donald Evans

Ar dy faster mae Herod – yn denu
　　Hyd wyneb disberod,
　　Ond Efe sydd yn dy fod
　　Yn Nadolig diwaelod.

CHWEDL YR EIRIN MAIR

Stephen Jones

Bu Mair a Joseff yn crwydro
Ar ôl gadael yr ogof glyd,
O Fethlehem i Rama,
O Rama i eithafoedd byd.

A'u dilyn trwy oriau'r golau,
A'u herlid trwy oriau'r gwyll
Taranai crochlais Herod
Â'i orchymyn bygythiol, hyll.

"Lleddwch pob un o'r diawliaid!
Pob bachgen dan ddwyflwydd oed.
Bwriwch nhw i'r afon!
Crogwch nhw o'r coed!"

Chwilio am ffordd ymwared –
Pob adwy wedi ei chau:
Gestapo ar bob croesffordd,
Pob bwlch â'i Eff-Bi-Ai.

Mae i adar y nefoedd eu nythod,
Ac i'r llwynog cyfrwys ei ffau!
Ond *stafell* Joseff *ys tywyll heno*
A drws y cartref ar gau.

Tri chrwydryn tlawd, digartref;
Tri hipi a hynny wrth raid;
Tri o'r gwrthodedigion
A thri heb neb o'u plaid.

Gwersyllu mewn ambell lecyn
A'r heddlu'n eu symud hwy.
Mae rhamant yn hanes y sipsiwn,
Ond 'does arnom mo'u heisiau mwy.

"Mae anrhydedd," meddai Joseff,
"Ple bynnag y trigo dyn,
I broffwyd pan ymddengys,
Ond yn ei wlad ei hun.

A chofio'r wyf am Joseff –
Ffefryn Jacob ei dad –
Yn ennyn eiddigedd ei frodyr
Ac yn ennyn ynddynt frad."

Gwrthodai, fel y brodyr,
Neges Gabriel fad, –
'Os wyt am achub dy blentyn
Rhaid i ti fynd o'th wlad.'

"Dwy flynedd y buom yn crwydro,
Mair a'i mab a mi,
Ond ni pheidiodd Rahel â'i hwylo –
Beunydd fe glywyd ei chri.

Tynhau mae rhwydwaith Herod;
I'r Aifft, rhaid mynd ar ffo.
Ffoi rhag twyll y cadno,
Ffoi o'i grafangau o."

Ond beth am anialwch y Negeff
Lle bu Israel am ddeugain blwydd?
"Nid ofnwn: â Duw i'n harwain,
Fe groeswn hwnnw'n rhwydd."

Ond taith ddiffygiol ydoedd;
'Doedd dim Ffynnon Jacob fan hyn;
Dim byd ond y twyni tywod,
Dim nant, dim afon, dim llyn.

Yma bu raid i Hagai,
Wrth orchymyn brwnt ei gŵr,
Wylio ei mab yn trengi,
Cyn gweled y pydew dŵr.

Fe drawyd Mair yn sydyn
Gan afiechyd poeth y tes;
Heb ddiferyn i leddfu'r dwymyn,
Heb ddefnyn i laesu'r gwres.

Gorweddai yno mewn llewyg
A Joseff yn drist ei bryd.
Chwaraeai'r Iesu o'u cwmpas
Heb ofal yn y byd.

Wrth chwarae fe welodd aeron
Yn crogi ar ddraenen grin;
Brathodd un yn llawen,
Mor felys oedd ei gwin!

Cyn y cafodd Joseff ei rwystro,
Torrodd gostrelaid o'r gwin
A'i rhoi i'w fam yn dirion –
Gwenodd wrth deimlo'i rin.

Cawsant wledd o'r ffrwyth bendigaid,
A dyna, os gwir y gair,
Sut y daeth yr enw prydferth
A geir am *Eirin Mair*.

Wrth iddo roddi'r ffrwythau
I'w fam â'i ddwylo cain
Gwelodd hi, ar ei gledrau,
Stigmata hyll y drain.

NADOLIG DAU FRAWD

Alan Llwyd

Cyn i amser, fel Herod, – lwyr ddileu'r
Ddau â'i lafn, diddarfod
Yw undydd eu plentyndod
Yng ngŵydd enbydrwydd ein bod.

HEROD
(Tachwedd 1993: achos James Bulger,
y plentyn dwyflwydd a lofruddiwyd.)

Alan Llwyd

Er ei fod mor dreisgar fyw, er i hwn,
Wrth barhau ei ddistryw,
Ladd y gwâr ddwyflwydd gwryw,
Nid hen ŵr ond plentyn yw.

NADOLIG IOAN
(Yn ddeuddeg oed)

Alan Llwyd

Aeth Santa i'r hyna'n rhith; – aeth rhyw wyrth
O'r ŵyl; aeth â'r lledrith
Ddiniweidrwydd. Yn nadrith
Troi'n ddyn aeth plentyn o'n plith.

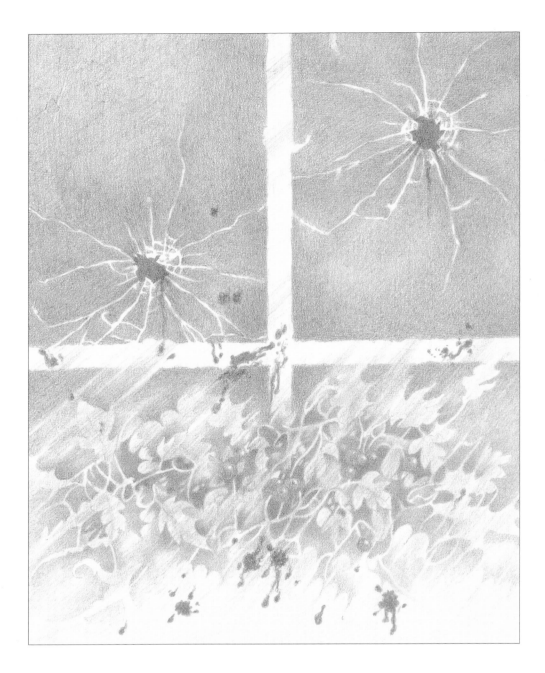

GWEDDI'R NADOLIG

T. Meirion Hughes

Rodd ddwyfol! Tyrd at ffoledd – dieithr fyd,
A thro, Fab Tangnefedd,
Gweryl hallt yn garol hedd
A rhyfela'n orfoledd.

LLEF Y BABAN

Pennar Davies

1

Rhyfedd oedd clywed llef gyntaf y baban –
canys llefain a wnaeth er gwaethaf yr hen goel
fod y baban hwn yn rhy sanctaidd i lefain –
ie, llefain a wnaeth fel pob baban byw.

Yn ei lef y mae pob baban yn llefain.
Dros bob baban y mae llef yr eiddilyn bach hwn.
'Uniganedig', 'Cyntafanedig' – ai dyma'r geni
sydd hefyd yn aileni hiliogaeth Efa ac Adda?

Yn ei lef y mae'r dragwyddol lef i'w chlywed,
llef y Chwythwr, y Deffröwr, y Bywhäwr,
yn mynnu ein bod ni oll yn clywed yr Enw,
Enw'r holl enwau, 'Ydwyf yr hwn ydwyf'.

2

Crefftwr oedd Joseff, saer coed, nid un
o lafurwyr y tir, gŵr o linach Dafydd
(er bod peryg hawlio hynny yn nyddiau Herod Fawr),
saer na fynnai lunio croesbren Rhufeinig,
Israeliad a hiraethai am ddydd yr Eneiniog,
dydd rhyddhau caethion a phorthi tlodion
a gorseddu Meseia, y Cyfiawn a'r Trugarog.
Clywodd yn llef ei grwt waedd adfer Israel.

3

Gorweddai Miriam y fam mewn gollyngdod pêr,
dan ryfeddu a diolch a llawenhau
yng ngwyrth y geni a hyfrydwch y llef,
llef angen, llef bywyd, llef mabolaeth lân.
Ond mor frau y bywyd bach, mor frwnt y byd –
cofiai weld flynyddoedd ynghynt gorff gwaedlyd
rhyw lanc hardd ei wedd a gawsai ei ladd
am fentro pleidio hawliau tylwyth Hasmon.

4

Diflannodd yr atgof a chaeodd Miriam ei llygaid
i weld megis mewn breuddwyd y dieithriaid rhyfedd,
brenhinoedd a bugeiliaid yn ffoli ar y trysor,
yn canmol, yn anwylo, yn anrhegu'n afradlon.
Ac eto buasai sôn am frenhinoedd llwgr yn Jwda gynt,
y 'bugeiliaid' annheilwng a chwerw gollfarnwyd
gan y proffwydi digofus yn Jwda a Babilon
wedi cwymp Jerwṣalem a chwalfa'r deyrnas ddrud.

5

Llanwyd y lle'n wyrthiol gan ddisgleirdeb mawr
sêr a chytserau lawer y nefoedd aruthr
ac un seren lwysloyw a unai'n rhyfeddol, meddir,
danbeidrwydd Iau a llewyrch llathraidd Sadwrn
mewn gorawen brin ei thro, ond diau iddynt i gyd
ddyfod â'u teyrnged, yr Arth Fawr a'r cawr o Heliwr
a'r Chwiorydd glân y mae hwnnw'n eu hela –
a holl ganhwyllau pefriol nen y nos.

6

Ond yn y cysgodion safai – penliniai, medd rhai,–
y gwesteiwyr bodlon, heb eu gofyn, mud eu croeso,
yr ych a'r asyn ar goll yn eu breuddwydion
annelwig ond ystyrlon, bendigaid eu miri,
anwybod y bwystfilod yn synhwyro'r rhadau pell
ac yn blasu yn y gwair y gyweithas sydd i fod,
yr ych yn pori'r gwellt yng nghwmni'r llew,
yr asyn yn dwyn Tywysog Tangnefedd i Salem dref.

CÂN HEROD

T. Glynne Davies

A phwy yn y byd fyddai'n dewis bod yn frenin?
Mi dd'weda'i wrthych chi: pawb;

Mae pawb am fod yn frenin. Ystyriwch fi.
Lladdais fabanod yn fy ymchwil am Hwn:

Jiwbois bach gwallt cyrliog yn glafoerian
Ar hyd eu ffrociau, ac yn sugno'u dymis,

Do'n Tad. A wnes i hynny o ran hwyl?
A fedrwn wynebu hyd yn oed un pâr o'r llygaid

Hynny eto, hyd yn oed yn fy mreuddwydion?
Na fedrwn, debyg iawn. Ond ystyriwch hyn:

Gallai unrhyw un o'r diawliaid bach drygionus
Gymryd fy nghoron a'i defnyddio'n boti.

Ac y mae babanod mor annwyl! Debyg iawn mi gytunaf,
Ond 'dydyn nhw ddim yn aros yn fabanod am byth.

Y jiwbois bach hynny, yn sipian eu bodiau:
O fewn dim, wel gallai unrhyw un ohonyn nhw

Gymryd cleddyf a'i wthio trwy fy mherfedd
Jest i fod yn Herod ei hunan –

Ac efallai i fod yn un llawer gwaeth na fi.
O leiaf, bobl annwyl, cyflawnais y weithred yn lân,

Gofalu nad oedd anadl yn yr un cyn troi at y nesa.
Ac, wrth reswm, yr oedd y Baban Hwn!

Sut y gwyddwn i, pan ddywedodd fy nghynghorwyr sandalog
Ei fod wedi cyrraedd, sut y gwyddwn i

Na chymerai sweip ataf fi? Oblegid
Yr oedd y *grym* gennyf fi – ac os na wyddoch

Beth ydyw ystyr grym, ystyr grym yw dychryn.
Ystyriwch y tipyn grym sydd gennych chwi:

Yr unig rym sydd gennych chwi yw rheolaeth
Ar wraig fach ddiniwed neu ar gwpwl o deipars oeliog

Mewn swyddfa sy'n drwch o lwch, a gwyddoch
Fel y gall y grym hwnnw eich dychryn,

Eich dychryn yn gandryll o'ch co.
Bwriwch fod y grym eithafol gennych, gyfeillion!

Y grym a oedd gennyf fi yng ngwlad Canaan,
Ac yn Lidice ac yn Budapest a Büchenwald.

Yr amgylchiadau, gyfeillion, sy'n rheoli'ch gweithredoedd.

DELWEDD EIN NADOLIG

Meirion Evans

Angylion fel adar a'u traed yn dynn
Yn nhriog y Nadolig ar y pîn,
A thociwyd i'r byw eu hadenydd gwyn
Â'n siswrn materol a'i wancus fin.
Y seren gynt fu'n arwain doethion dri
Nid yw ond soser yn nychymyg cranc,
Dim ond ynfydion fyn ei dilyn hi
A dwyn eu haur i'r stabl, nid i'r banc.
Clywn oslef miwsig yr angylion pêr
O gefndir tywyll gwallgo'n dawns o hyd,
A bwriwn ambell olwg slei i'r sêr
I weld a oes un gliriach na nhw'i gyd.
Bob blwyddyn canwn, gwyliwn yn ddi-feth
Rhag ofn bod rhyw wirionedd yn y peth.

PRYDER MAIR

Stephen Jones

Paham y daethost, nefol aer,
At Joseff fwyn a mi?
Y Duwddyn yma'n fab y saer!
Ond heno, cysga di.

Anesmwyth ydyw cŵyn y gwynt
A thrwm fy nghalon i.
Mae milwyr Herod ar eu hynt,
Ond heno, cysga di.

Cei aur a thus yn arwydd hedd
Gan dywysogion dri;
Cei chwerw fyrr, a chroes a bedd,
Ond heno, cysga di.

Daw'r bugail oddi wrth ei dasg
Gan ddwyn oen bach heb gri.
Tydi, fy oen, tydi yw'n Pasg!
Ond heno, cysga di.

111

DEULAIS Y NADOLIG
(1993)

Mathonwy Hughes

Llais Anobaith:

O edrych ar y pydredd
Enbyd a dry fyd yn fedd,
Onid dweud wna methiant dyn
Nad ydyw ef ond adyn?

I beth y daeth hwn i'r byd – â'i lygredd
    A'i daflegrau ynfyd?
   Anghenfil oedd yng nghynfyd
   A dyna yw dyn o hyd.

Llais Gobaith:

Ba waeth! mae'n well gobeithio – y daw gwawr
    Wedi gwyll, nag ildio
   A bythol anobeithio.

Er y farn a ddaeth ar fyd – â'n deilchion,
    Diolcher mewn drygfyd
   Nad gwae yw Bywyd i gyd.

Pa ryfedd y dysg profiad – na fagwyd
    Gorchfygwr ar gariad?
   Ei rym yw'r goruchaf rhad.

Mintai'r gwych, maent hwy ar gael, – anhygoel
    Gymdogion diadael,
   Hoffus ymhob anghaffael.

Tra cyfyd gweddill dillyn – a'u gofal
    Am gyfaill a chyd-ddyn,
   Deil ffydd na dderfydd am ddyn.

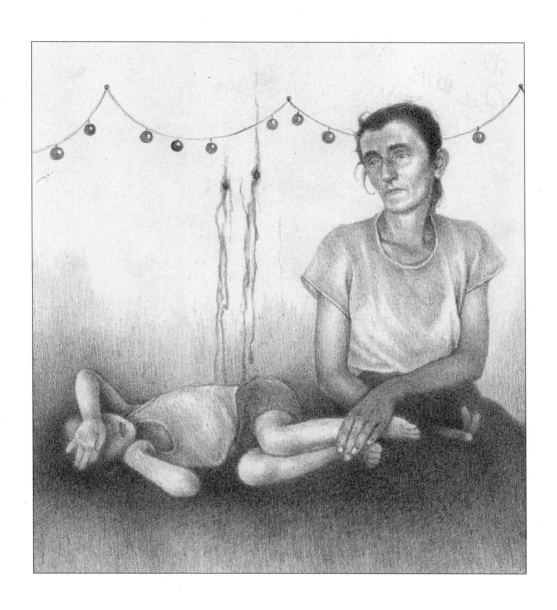

NADOLIG YR ANIALWCH

W. H. Jones

Pendwmpian yn y gadair
Ond, "Dyma'r newyddion" –

Gweld mintai hyd y gorwel
O ysgerbydau duon fel o Belsen
Yn gwargam-fusgrell ymlusgo
Drwy'r anialdir dros y ffin i'r Swdan –
A'r ffin ond darn o fur
Fel maen cyfamod yr encilion;
Dianc o angau newyn
I syrthio'n swrth wrth furddun y ffin.

Croen am benglog
A'r llygaid pŵl a dwfn;
Plantos bach â hen wynebau.
Wynebau newyn
Yn mud gyhuddo'r Gorllewin;
Wynebau'n crefu cymorth
Heb deimlo'r pryfed.
Yn edrych heb weld
Ac yn clywed heb wrando.

Cri babanod yn sugno bronnau sychion –
A bwndel o esgyrn ar fraich ei fam
Yn llyfu'r dagrau ar ruddiau cystuddiol
Cyn cwympo ger y mur.

Croesi o'r anialdir i dir anobaith –
A thywod Swdan ac Eithiopia
Yn llyncu cenhedlaeth …

Yma ger y ffin
Nid oes câr na chyfaill
Na disgwyl Nadolig;
Ond distaw gŵyn yr anghenus
Ac olion traed yn y tywod.

Heno daw sawl seren –
Ond ni bydd llety.